QUATRO

Leia também de Veronica Roth

DIVERGENTE
INSURGENTE
CONVERGENTE

QUATRO
HISTÓRIAS DA SÉRIE DIVERGENTE

VERONICA ROTH

Tradução
Lucas Peterson

Título original
FOUR:
A DIVERGENT COLLECTION

Copyright © 2014 *by* Veronica Roth

Four: The Transfer: A Divergent Story
Copyright © 2013 *by* Veronica Roth
Four: The Initiate: A Divergent Story
Copyright © 2014 *by* Veronica Roth
Four: The Son: A Divergent Story
Copyright © 2014 *by* Veronica Roth
Four: The Traitor: A Divergent Story
Copyright © 2014 *by* Veronica Roth

Todos os direitos reservados. Nenhuma parte desta obra pode ser reproduzida, ou transmitida por qualquer forma ou meio eletrônico ou mecânico, inclusive fotocópia, gravação ou sistema de armazenagem e recuperação de informação, sem a permissão escrita do editor.

Edição brasileira publicada mediante acordo com HarperCollins Children's Books, uma divisão da HarperCollins Publishers.

Direitos para a língua portuguesa reservados
com exclusividade para o Brasil à
EDITORA ROCCO LTDA.
Rua Evaristo da Veiga, 65 – 11º andar
Passeio Corporate – Torre 1
20031-040 – Rio de Janeiro – RJ
Tel.: (21) 3525-2000 – Fax: (21) 3525-2001
rocco@rocco.com.br | www.rocco.com.br

Printed in Brazil/Impresso no Brasil

Preparação de originais
FLORA PINHEIRO

Cip-Brasil. Catalogação na fonte
Sindicato Nacional dos Editores de Livros, RJ

R754q   Roth, Veronica
        Quatro: histórias da série Divergente / Veronica Roth; tradução Lucas Peterson. – Primeira edição. – Rio de Janeiro: Rocco Jovens Leitores, 2014.

        Tradução de: Four: a Divergent collection
        ISBN 978-85-7980-221-8

        1. Ficção infantojuvenil americana. I. Peterson, Lucas. II. Título.

14-15200
CDD: 028.5
CDU: 087.5

O texto deste livro obedece às normas do
Acordo Ortográfico da Língua Portuguesa.

Para os meus leitores, que são inteligentes e corajosos.

SUMÁRIO

INTRODUÇÃO — 9

A TRANSFERÊNCIA — 11

A INICIAÇÃO — 63

O FILHO — 121

O TRAIDOR — 179

"A PRIMEIRA A PULAR: TRIS!" — 255

"CUIDADO, TRIS." — 259

"VOCÊ ESTÁ BONITA, TRIS." — 267

AGRADECIMENTOS — 270

INTRODUÇÃO

COMECEI A ESCREVER *Divergente* na perspectiva de Tobias Eaton, um jovem da Abnegação que vivia sob extrema tensão com o pai e ansiava por se libertar de sua facção. Na página trinta, cheguei a um impasse, porque o narrador não funcionava muito bem para a história que eu queria contar. Quatro anos depois, quando retomei a narrativa, encontrei a personagem certa para conduzi-la: uma garota da Abnegação que ansiava por saber do que era capaz. Mas Tobias nunca desapareceu. Ele entrou na história como Quatro, o instrutor, amigo, namorado e par de Tris. Nunca perdi o interesse em explorá-lo enquanto personagem, porque ele ganhava vida para mim sempre que aparecia nas páginas. Na minha opinião, ele é poderoso principalmente pela maneira como continua a superar as adversidades, conseguindo até, em várias ocasiões, utilizá-las a seu favor.

As três primeiras histórias desta coleção, "A transferência", "A iniciação" e "O filho", passam-se antes de ele conhecer Tris, narrando a sua transferência da Abnegação para a Audácia durante seu processo de fortalecimento. Na última história, "O traidor", que coincide cronologicamente com a metade de *Divergente*, ele encontra Tris. Eu queria muito incluir o momento em que eles se conhecem, porém, infelizmente, isso não se encaixava no fluxo da narrativa. Em vez disso, a história desse momento foi incluída no final deste livro.

A série *Divergente* acompanha Tris a partir do momento em que ela assumiu o controle da própria vida e de sua identidade; nestes contos, poderemos seguir Quatro à medida que ele também passa por esse processo. E o resto, como dizem, é história.

— *Veronica Roth*

A TRANSFERÊNCIA

Acordo da simulação com um grito. Meu lábio arde, e, quando afasto a mão dele, há sangue nas pontas dos meus dedos. Devo tê-lo mordido durante o teste.

A mulher da Audácia que está administrando o meu teste de aptidão – Tori, como disse se chamar – olha para mim com uma expressão estranha ao prender o cabelo preto em um coque. Seus braços são marcados de cima a baixo com tatuagens: chamas, raios de luz e asas de gavião.

— Enquanto estava na simulação... você tinha consciência de que não era real? – pergunta Tori ao desligar a máquina. Ela soa e age de forma natural, mas sua naturalidade é calculada, resultado de anos de prática. Percebo isso de imediato. Eu sempre percebo.

De repente, ouço o meu próprio batimento cardíaco. Isso é o que meu pai disse que aconteceria. Ele sabia que me perguntariam se eu estava consciente durante a simulação. E me preparou para o que eu deveria responder.

— Não — falo. — Se eu estivesse, acha que teria mordido o lábio deste jeito?

Tori me estuda por alguns segundos, depois morde a argola em seu lábio antes de responder:

— Parabéns. Você apresentou um resultado típico da Abnegação.

Faço que sim com a cabeça, mas a palavra "Abnegação" é como uma corda ao redor do meu pescoço.

— Não ficou satisfeito? — pergunta ela.

— Os membros da minha facção ficarão.

— Não perguntei sobre eles, perguntei sobre você. — Os cantos da boca e dos olhos de Tori desabam, como se carregassem pesos. Como se ela estivesse triste por algum motivo. — Esta sala é segura. Você pode falar o que quiser aqui.

Eu sabia quais seriam as minhas opções no teste de aptidão antes mesmo de chegar à escola hoje de manhã. Escolhi a comida, e não a arma. Joguei-me na frente do cachorro para salvar a menininha. Eu sabia que depois de fazer essas escolhas o teste terminaria e o resultado seria Abnegação. E não sei se faria escolhas diferentes se meu pai não tivesse me preparado e controlado todos os aspectos do meu teste de aptidão a distância. Então, o que eu estava esperando? Qual facção queria?

Qualquer uma. Qualquer uma, menos a Abnegação.

— Estou satisfeito — respondo com firmeza. Não importa o que ela diz. Esta sala não é segura. Não existem salas seguras, assim como não existem verdades seguras ou segredos que possam ser contados com segurança.

Ainda consigo sentir os dentes do cachorro se fechando no meu braço, rasgando a minha pele. Assinto para Tori e começo a caminhar em direção à porta, mas, antes que eu saia, ela agarra o meu cotovelo.

— É você quem precisará conviver com a sua escolha — diz ela. — Os outros vão superar, seguir em frente, não importa a sua decisão. Mas você nunca conseguirá fazer isso.

Abro a porta e saio da sala.

+ + +

Volto para o refeitório e me sento à mesa da Abnegação, entre pessoas que mal me conhecem. Meu pai não permite que eu frequente a maioria dos eventos da comunidade. Ele alega que eu causaria algum transtorno, faria algo para prejudicar a sua imagem. Eu não ligo. Fico mais feliz em meu quarto, na casa silenciosa, do que entre os membros deferentes e obsequiosos da Abnegação.

No entanto, a consequência da minha ausência constante é que os outros membros da Abnegação desconfiam de mim, convencidos de que há algo de errado comigo, de que sou um enfermo, um imoral, um estranho. Mesmo quem está disposto a me cumprimentar com um aceno de cabeça não encara diretamente os meus olhos.

Sento-me abraçando os joelhos e observo as outras mesas enquanto os alunos terminam seus testes de aptidão. A mesa da Erudição está coberta de papéis, mas nem todos estudam. Eles estão apenas se exibindo, trocando conversas, e não ideias, voltando os olhos de novo para as palavras sempre que desconfiam que alguém está olhando. Os membros da Franqueza falam alto, como sempre. Os integrantes da Amizade riem, gargalham, tiram comida dos bolsos e distribuem entre si. Os membros da Audácia são barulhentos, largam-se sobre as mesas e cadeiras, apoiam-se nos amigos, cutucam e implicam uns com os outros.

Eu preferiria qualquer outra facção. Qualquer outra facção que não fosse a minha, em que todos já decidiram que não sou digno de atenção.

Finalmente, uma mulher da Erudição entra no refeitório e levanta a mão, pedindo silêncio. Os membros da Abnegação e da Erudição se calam na mesma hora, mas ela precisa gritar para chamar a atenção dos integrantes da Audácia, Amizade e Franqueza.

— Os testes de aptidão estão concluídos — anuncia ela. — Lembrem-se de que vocês não têm permissão de discutir seus resultados com *ninguém*, nem mesmo seus amigos e familiares. A Cerimônia de Escolha será amanhã à noite no Eixo. Tentem chegar com pelo menos dez minutos de antecedência. Vocês estão liberados.

Todos correm em direção às portas, menos as pessoas da nossa mesa, que, antes de se levantarem, esperam os outros deixarem o refeitório. Conheço o caminho que meus companheiros da Abnegação seguirão para ir embora, passando pelo corredor e saindo pelas portas da frente, até o ponto de ônibus. Eles talvez fiquem mais de uma hora lá, permitindo que as outras pessoas embarquem na frente. Acho que não consigo mais suportar esse silêncio.

Em vez de segui-los, escapo por uma porta lateral, saindo em um beco ao lado da escola. Já fiz esse caminho antes, mas costumo me esgueirar devagar por ele, tentando evitar ser visto ou ouvido. Hoje, quero apenas sair correndo.

Corro até o final do beco e pego a rua vazia, saltando um buraco na calçada. Meu casaco largo da Abnegação balança com o vento, e eu o deixo escorregar por meus ombros até que ele fique sacudindo atrás de mim, como uma bandeira, e então o solto. Puxo as mangas da camisa até os cotovelos enquanto corro, desacelerando um pouco quando meu corpo já não suporta manter a velocidade. Parece que a cidade inteira está passando por mim, formando um borrão que mistura todos os prédios. Ouço o ruído de meus passos como se fosse um som distante.

Afinal preciso parar, com os músculos ardendo. Estou no páramo dos sem-facção, entre o setor da Abnegação e as sedes da Erudição e da Franqueza, e das nossas áreas comuns. Em todas as reuniões de facção, nossos líderes, geralmente representados pelo meu pai, afirmam que não devemos temer os sem-facção e que devemos tratá-los como seres humanos, não como criaturas violadas e perdidas. Mas nunca me ocorreu temê-los.

Caminho até a calçada para poder olhar pelas janelas dos prédios. Em geral, vejo apenas móveis antigos em cada cômodo vazio, com lixo espalhado pelo chão. Quando a maioria dos habitantes da cidade foi embora (o que certamente aconteceu, já que a nossa população atual não ocupa todos os edifícios), ela não deve ter saído com pressa, porque os lugares onde moravam estão muito vazios. Não sobrou nada de interessante.

No entanto, quando passo por um dos edifícios de esquina, vejo algo no interior. O cômodo do outro lado da janela está tão vazio quanto qualquer um dos outros pelos quais passei, mas, do outro lado de uma porta, lá dentro, vejo uma única brasa, um carvão aceso.

Franzo a testa e paro diante da janela para tentar abri-la. A princípio, ela nem se move, mas depois que a sacudo ela se abre de repente. Passo o torso primeiro, depois as pernas, desabando sem jeito lá dentro. Meus cotovelos ardem ao rasparem no chão.

O edifício cheira a comida, fumaça e suor. Caminho devagar em direção à brasa, atento a vozes que revelem a presença dos sem-facção, mas ouço apenas o silêncio.

No cômodo seguinte, as janelas estão enegrecidas por tinta e sujeira, mas deixam atravessar um pouco da luz do dia, permitindo que eu veja catres enrolados espalhados por todo o chão do cômodo e latas velhas com restos de comida seca presos no interior. No centro dele, há uma pequena grelha sobre brasas. A maioria dos pedaços de carvão está branca, já consumida, mas um deles ainda está aceso, sugerindo que quem esteve ali não foi embora há muito tempo. E, a julgar pelo cheiro e pela quantidade de latas e cobertores, havia um bocado de gente ali.

Sempre me ensinaram que os sem-facção não vivem em comunidade, ficando isolados uns dos outros. Agora, vendo este lugar, pergunto-me como pude acreditar nisso. O que os impediria de formar grupos, assim como nós fizemos? É a nossa natureza.

— O que você está fazendo aqui? — pergunta uma voz, que me atravessa como um choque elétrico. Eu me viro e vejo um homem sujo e de rosto amarelado no cômodo ao lado, limpando as mãos em uma toalha esfarrapada.

— Eu estava apenas... — Olho para a grelha. — Eu vi fogo. Só isso.

— Ah. — O homem enfia a ponta da toalha no bolso traseiro. Ele veste calças pretas da Franqueza remendadas com tecido azul da Erudição e uma camisa cinza da Abnegação exatamente igual à que estou vestindo. É bastante esguio, mas parece forte. Forte o bastante para me machucar, mas acho que ele não vai fazer isso.

— Obrigado, eu acho — diz ele. — Mas não há incêndio algum aqui.

— É, eu percebi — falo. — Que lugar é este?

— É a minha casa — responde o homem com um sorriso frio. Ele não tem um dos dentes. — Não sabia que receberia visita, então não me preocupei em arrumá-la.

Desvio o olhar para as latas espalhadas pelo chão.

— Você deve se revirar muito, para precisar de tantos cobertores.

— Nunca conheci um Careta que se intrometesse tanto na vida dos outros. — Ele se aproxima de mim e franze a testa. — Você me parece um pouco familiar.

Sei que é impossível eu tê-lo visto antes. Não onde moro, cercado por casas idênticas, no bairro mais monótono da cidade, rodeado de pessoas com roupas cinzentas idênticas e cabelos curtos idênticos. E então me ocorre: embora meu pai se esforce para me manter escondido, ele continua sendo o líder do conselho, um dos homens mais importantes da cidade, e eu continuo parecido com ele.

— Perdão por tê-lo incomodado — digo, na minha melhor voz de membro da Abnegação. — Já vou indo.

— Sim, eu conheço você — diz o homem. — Você é filho de Evelyn Eaton, não é?

Meu corpo enrijece quando ouço o nome dela. Há anos não o ouço, porque meu pai não o pronuncia e finge nem o reconhecer se alguém o menciona. Ser conectado a ela outra vez, mesmo que apenas pela semelhança física, parece estranho, como vestir uma antiga peça de roupa que não cabe mais.

— Você a conhecia? — Ele devia conhecê-la bem se consegue reconhecê-la em meu rosto, que é mais pálido do que o dela, e com olhos azuis, não castanho-escuros. A maioria das pessoas não prestou atenção o suficiente para perceber todas as características que tínhamos em comum: nossos dedos longos, nossos narizes aquilinos, nossas sobrancelhas retas e franzidas.

Ele hesita por um instante.

— Às vezes ela se voluntariava com outros membros da Abnegação. Distribuindo comida, cobertores e roupas. Ela tinha um rosto marcante. Além disso, era casada com um líder de conselho. Todos não a conheciam?

Às vezes, sei que as pessoas estão mentindo apenas pela maneira como sinto as palavras me pressionando, de forma desconfortável e forte, como uma pessoa da Erudição se sente ao ver um erro gramatical. Não sei como ele conhecia a minha mãe, mas certamente não era apenas porque ela lhe entregou uma lata de sopa alguma vez. Mas estou tão ansioso para ouvir mais a respeito dela que não insisto no assunto.

— Ela morreu, sabia? — digo. — Há anos.

— Não, eu não sabia. — Um dos cantos da boca dele se curva um pouco para baixo. — Sinto muito.

Sinto-me estranho neste lugar úmido, que cheira a corpos vivos e a fumaça, em meio a latas vazias que sugerem pobreza e o fracasso em se encaixar. Mas também há algo atraente aqui, certa liberdade ou uma recusa de pertencer às categorias arbitrárias que inventamos para nós mesmos.

— Sua Escolha deve ser amanhã, já que você parece tão preocupado — observa o homem. — Que facção você tirou?

— Não devo contar para as outras pessoas — respondo automaticamente.

— Não sou outra pessoa — diz ele. — Sou ninguém. É isso que significa ser um sem-facção.

Mesmo assim, não digo nada. A proibição de revelar o resultado do meu teste de aptidão ou qualquer um dos meus outros segredos é construída rigidamente no molde que me faz e refaz todos os dias. É impossível mudar isso agora.

— Ah, um seguidor de regras — comenta ele, como se estivesse desapontado. — Sua mãe me disse certa vez que ela sentia que a inércia a havia levado para a Abnegação.

Foi o caminho de menor resistência. — Ele dá de ombros. — Confie em mim quando digo, garoto Eaton, que vale a pena resistir.

Sinto uma onda de raiva. Ele não deveria falar sobre a minha mãe como se ela pertencesse a ele e não a mim, e não deveria estar me fazendo questionar tudo o que lembro a respeito dela só porque ela talvez tenha servido, ou não, comida para ele algum dia. Ele não deveria estar me contando nada. Ele não é ninguém, é um sem-facção, um apartado, não é nada.

— É mesmo? Olha só para onde a resistência levou você. Para uma vida de latas vazias em edifícios decadentes. Não me parece tão bom assim.

Começo a caminhar em direção à porta pela qual o homem entrou. Sei que encontrarei uma saída para o beco em algum lugar ao lado do edifício; não me importa onde, desde que eu consiga ir embora o mais rápido possível.

Escolho um trajeto, tomando cuidado para não pisar em nenhum cobertor. Quando chego ao corredor, o homem diz:

— Prefiro comer de uma lata a ser oprimido por uma facção.

Não olho para trás.

+ + +

Ao chegar a casa, sento-me no degrau de entrada e respiro fundo o ar frio da primavera por alguns minutos.

Foi a minha mãe quem me ensinou a aproveitar momentos como este, momentos de liberdade, embora ela não soubesse disso. Eu a via escapar pela porta da frente depois de escurecer enquanto meu pai dormia, depois voltar escondida para casa, quando a luz do sol começava a surgir atrás dos prédios. Ela também aproveitava esses momentos quando estava conosco, diante da pia, de olhos fechados, tão distante do presente que nem me ouvia falar com ela.

Mas também aprendi outra coisa observando-a: os momentos livres sempre precisam acabar.

Levanto-me, limpo pedaços de cimento das minhas calças de cor cinza e abro a porta. Meu pai está sentado na poltrona da sala de estar, cercado por uma papelada. Ajeito a postura para não ser repreendido por andar curvado. Caminho em direção à escada. Talvez ele me deixe ir para o meu quarto, talvez não preste atenção em mim.

— Conte-me sobre seu teste de aptidão — pede ele, apontando para o sofá.

Atravesso a sala, saltando cuidadosamente uma pilha de papéis sobre o carpete, e me sento onde ele apontou, bem na ponta do sofá, para poder me levantar depressa.

— E então? — Ele tira os óculos e olha para mim, esperando uma resposta. Ouço certa tensão em sua voz, típica de um dia difícil no trabalho. É melhor eu tomar cuidado. — Qual foi o resultado?

A possibilidade de me recusar a responder nem passa pela minha cabeça.

— Abnegação.
— Nada mais?

Franzo a testa.

— Não, é claro que não.

— Não olhe para mim assim — diz ele, e minha testa franzida volta ao normal. — Não aconteceu nada de estranho em seu teste?

Durante o meu teste, eu sabia onde estava. Sabia que, apesar de parecer que eu me encontrava no refeitório da escola secundária, na verdade continuava prostrado sobre uma cadeira na sala do teste de aptidão, conectado a uma máquina por uma série de fios. Aquilo foi estranho. Mas não quero falar sobre isso agora, quando consigo ver o estresse crescendo dentro dele, como uma tempestade.

— Não — respondo.

— Não minta para mim — ordena ele, agarrando o meu braço e apertando os dedos como um torno. Não olho para meu pai.

— Não estou mentindo — digo. — Meu resultado foi Abnegação, como esperado. A mulher quase nem olhou para mim quando deixei a sala. Eu juro.

Ele me solta. Meu braço lateja onde ele me agarrou.

— Ótimo — diz ele. — Você certamente precisa pensar um pouco. É melhor ir para o seu quarto.

— Sim, senhor.

Levanto-me e atravesso a sala outra vez, aliviado.

— Ah! — exclama ele. — Alguns dos meus colegas do conselho virão aqui hoje, então é melhor você jantar mais cedo.

— Sim, senhor.

+ + +

Antes do pôr do sol, pego comida dos armários e da geladeira: dois pães e cenouras cruas, ainda com as folhas, um pedaço de queijo, uma maçã e restos de frango sem tempero. Tudo tem o mesmo gosto, de poeira e pasta. Mantenho os olhos na porta para não esbarrar em nenhum colega do meu pai. Ele não ia gostar se eu ainda estivesse no andar de baixo quando eles chegassem.

Estou terminando um copo de água quando o primeiro membro do conselho alcança a porta da frente, então passo correndo pela sala de estar antes que meu pai chegasse à porta. Ele me espera passar pelo balaústre, com a mão na maçaneta e as sobrancelhas erguidas na minha direção. Aponta para o segundo andar, e eu subo os degraus apressadamente enquanto ele abre a porta.

— Olá, Marcus. — Reconheço a voz de Andrew Prior. É um dos amigos de trabalho mais próximos do meu pai, o que não significa nada, porque ninguém conhece meu pai *de verdade*. Nem eu.

Do alto da escada, olho para Andrew. Ele limpa os sapatos no capacho. Às vezes, vejo-o com sua família, uma unidade perfeita da Abnegação, Natalie e Andrew, e o filho e a filha (que não são gêmeos, mas estão no mesmo ano da escola, dois antes do meu), todos caminhando serenamente pela calçada, cumprimentando as pessoas por quem passam com um aceno de cabeça. Natalie organiza todas as ações voluntárias entre os membros da Abnegação. Minha mãe provavelmente a conhecia, embora raramente frequentasse eventos sociais da Abnegação, preferindo guardar seus segredos como guardo os meus: dentro de casa.

Os olhos de Andrew encontram os meus, e eu corro pelo corredor até o meu quarto, fechando a porta atrás de mim.

Para todos os efeitos, meu quarto é tão esparso e limpo quanto qualquer outro da Abnegação. Os lençóis e cobertores cinzentos estão bem presos ao colchão fino, e meus livros escolares foram empilhados ordenadamente, em uma torre perfeita, em cima da mesa de madeira compensada. Uma pequena cômoda com várias roupas idênticas fica ao lado de uma estreita janela, que permite a entrada mínima de luz solar à tarde. Pela janela, consigo ver a casa ao lado, idêntica à minha, mas quatro metros e meio para a direita.

Sei como a inércia levou minha mãe à Abnegação, se é que aquele homem falou a verdade sobre ela. Também consigo ver isso acontecendo comigo amanhã, quando estiver diante dos recipientes de elementos das facções, com uma faca nas mãos. Existem quatro facções que não conheço e nas quais não confio, com práticas que não compreendo, e apenas uma que é familiar, previsível, compreensível. Escolher a Abnegação pode não me levar a uma vida de grande felicidade, mas pelo menos vai me dar uma situação confortável.

Sento-me na beirada da cama. *Não, não vai*, penso, depois engulo o pensamento, porque sei de onde ele vem: a parte infantil dentro de mim que teme o homem reinando sobre a sala de estar. O homem cujos punhos conheço melhor do que os abraços.

Verifico se a porta está bem fechada e prendo a cadeira sob a maçaneta, só para ter certeza. Depois, agacho-me ao lado da cama e enfio a mão debaixo dela, para pegar o baú que guardo ali.

Minha mãe me deu o baú quando eu era criança e disse ao meu pai que serviria para guardar cobertores e que o tinha encontrado em um beco qualquer. Mas, ao colocá-lo no meu quarto, ela não o encheu de cobertores. Ela fechou a porta e posicionou o dedo sobre a boca, pousando o baú na cama para abri-lo.

Dentro dele havia uma escultura azul. Parecia água se derramando, mas era de vidro, completamente transparente, polida, perfeita.

— O que isso faz? — perguntei a ela.

— Nada de óbvio — respondeu minha mãe e depois sorriu, mas seu sorriso foi tenso, como se ela temesse algo. — Mas pode fazer alguma coisa aqui. — Ela tocou o próprio peito, bem acima do esterno. — Coisas lindas, às vezes, fazem isso.

Desde então, tenho enchido o baú com objetos que outras pessoas considerariam inúteis: óculos velhos sem lentes, fragmentos de placas-mãe descartadas, velas de automóveis, fios desencapados, o gargalo quebrado de uma garrafa verde, uma navalha enferrujada. Não sei se minha mãe, ou até mesmo eu, consideraria esses objetos lindos, mas cada um deles teve sobre mim o mesmo efeito da escultura. Eram coisas secretas, ou valiosas, talvez simplesmente por serem tão ignoradas.

Em vez de pensar sobre o resultado do meu teste de aptidão, seguro, um a um, os objetos e os giro nas mãos para memorizar cada detalhe deles.

+ + +

Acordo assustado ao ouvir os passos de Marcus no corredor do lado de fora do meu quarto. Estou deitado na cama, com os objetos espalhados ao meu redor, sobre o colchão. Os passos desaceleram à medida que ele se aproxima da minha porta, e eu pego as velas de automóvel, as peças de placa-mãe e os fios, jogo tudo dentro do baú e o tranco, guardando a chave no bolso. Percebo no último segundo, quando a maçaneta começa a girar, que a escultura continua fora do baú, então a enfio debaixo do travesseiro e empurro o baú para debaixo da cama.

Salto até a cadeira e a retiro de debaixo da maçaneta para que meu pai consiga entrar.

Ao entrar, ele olha para a cadeira na minha mão, desconfiado.

— O que isso estava fazendo aí? — pergunta ele. — Você está tentando me impedir de entrar?

— Não, senhor.

— É a segunda vez que você mente para mim hoje — diz Marcus. — Não criei o meu filho para ser um mentiroso.

— Eu... — Não consigo pensar em absolutamente nada para dizer; então apenas me calo e ponho a cadeira diante da mesa, onde é o seu lugar, bem atrás da pilha perfeita de livros escolares.

— O que você estava fazendo aqui dentro que não queria que eu visse?

Agarro o braço da cadeira com força e encaro os meus livros.

— Nada — respondo num sussurro.

— É a terceira mentira — diz ele em um tom baixo, mas duro como pedra. Ele se aproxima de mim, e eu me afasto instintivamente. Porém, em vez de tentar me segurar, ele se abaixa e puxa o baú de debaixo da cama, depois tenta abrir a tampa. Ela não se move.

O medo rasga a minha barriga como uma navalha. Belisco a bainha da camisa, mas não consigo sentir as pontas dos meus dedos.

— Sua mãe disse que isto servia para guardar cobertores — diz ele. — Que você sentia frio à noite. Mas eu sempre quis saber... se ainda há cobertores aqui dentro, por que você o mantém trancado?

Ele estende a mão com a palma para cima e ergue as sobrancelhas ao olhar para mim. Sei o que ele quer: a chave. E preciso entregá-la, porque ele sabe quando estou mentindo; ele sabe tudo sobre mim. Agora, não consigo sentir as palmas das minhas mãos, e a respiração está começando: a respiração acelerada com que sempre fico quando sei que ele está prestes a explodir.

Fecho os olhos enquanto ele abre o baú.

— O que é isto? — Ele move as mãos descuidadamente sobre os objetos valiosos, espalhando-os para todos os lados. Ele os retira do baú, um a um, e os joga na minha direção. — Para que você precisa *disto*, ou *disto*...?

Estremeço, objeto após objeto, e não tenho resposta. Não preciso deles. Não preciso de nenhum deles.

— Isto *fede* a um capricho! — grita ele, depois empurra o baú da beirada da cama, fazendo o conteúdo se espalhar pelo chão. — Isto envenena a nossa casa com egoísmo!

Também não consigo sentir meu rosto.

As mãos dele atingem meu peito. Tropeço para trás e bato na cômoda. Depois, ele levanta a mão, preparando-se para me bater, e eu digo, com a garganta apertada de medo:

— A Cerimônia de Escolha, pai!

Ele para com a mão erguida, e eu tremo de medo, me encolhendo contra a cômoda com a visão embaçada demais para enxergar. Ele geralmente tenta não deixar marcas no meu rosto, em especial antes de dias como o de amanhã, quando tantas pessoas voltarão seus olhos para mim, observando-me fazer a escolha.

Ele baixa a mão, e, por um instante, penso que a violência acabou, que a ira foi contida. Mas, então, ele diz:

— Está bem. Espere aqui.

Eu me apoio na cômoda. Sei muito bem que ele não vai simplesmente embora, não vai pensar no que aconteceu e depois voltar para pedir desculpas. Ele nunca faz isso.

Ele voltará com um cinto, e as listras que ele entalha nas minhas costas serão facilmente escondidas por uma camisa e uma expressão obediente da Abnegação.

Eu me viro, com o tremor tomando conta do meu corpo. Agarro-me ao canto da cômoda e espero.

+ + +

À noite, durmo de bruços, com a dor mordendo cada um dos meus pensamentos e todos os meus bens quebrados no chão ao redor. Depois de me espancar até eu ser obrigado a enfiar o punho na boca para abafar os gritos, ele pisoteou cada um dos objetos até quebrá-los ou amassá-los, tornando-os irreconhecíveis, depois lançou o baú contra a parede, soltando a tampa das dobradiças.

O pensamento surge de repente: *Se você escolher a Abnegação, nunca conseguirá escapar dele.*

Enfio a cara no travesseiro.

Mas não sou forte o bastante para resistir à inércia da Abnegação, ao medo que me impulsiona pelo caminho que meu pai traçou para mim.

+ + +

Na manhã seguinte tomo um banho frio, não para conservar recursos, como manda a Abnegação, mas porque isso diminui a dor nas minhas costas. Visto as roupas largas e simples da Abnegação bem devagar e paro diante do espelho do corredor para cortar o cabelo.

— Deixe-me ajudar — diz meu pai do final do corredor. — Afinal, é o seu Dia de Escolha.

Pouso a máquina de raspar cabelo sobre o canto formado pelo painel deslizante e tento ajeitar a postura. Ele para atrás de mim, e desvio os olhos quando a máquina começa a zunir. Há apenas um nivelador para a lâmina, apenas um comprimento de cabelo aceitável para os homens da Abnegação. Contraio o rosto enquanto os dedos dele estabilizam a minha cabeça e espero que ele não perceba, não veja como um simples toque seu já me aterroriza.

— Você sabe o que esperar — diz ele.

Ele cobre o topo da minha orelha com a mão enquanto arrasta a máquina pela lateral da minha cabeça. Hoje, tenta proteger a minha orelha de ser cortada pela máquina, mas ontem estava me surrando com um cinto. O pensamento parece veneno atravessando o meu corpo. É quase engraçado. Tenho vontade de rir.

— Você ficará parado no seu lugar; quando seu nome for chamado, irá para a frente e pegará sua faca. Depois, você se cortará e pingará uma gota de sangue no recipiente certo.

Nossos olhos se encontram no espelho, e sua boca quase forma um sorriso. Ele toca o meu ombro, e percebo que agora temos quase a mesma altura e quase o mesmo tamanho, embora eu ainda me sinta bem menor.

Depois, ele diz gentilmente:

— A dor do corte passa rápido. E, então, sua escolha terá sido feita, e tudo estará acabado.

Será que ele se lembra do que aconteceu ontem, ou será que já guardou o evento em um compartimento separado da mente, mantendo sua metade monstro separada de sua metade pai? Eu, no entanto, não tenho esses compartimentos e consigo ver todas as suas identidades sobrepostas, como camadas: o monstro, o pai, o homem, o líder de conselho e o viúvo.

De repente, meu coração dispara, meu rosto esquenta e quase não consigo me segurar.

— Não se preocupe com a dor que vou sentir. Tenho muita experiência.

Durante um segundo, seus olhos no espelho são como adagas, e a raiva que me fortalece se esvai, substituída pelo medo habitual. Mas tudo o que ele faz é desligar a máquina, pousá-la sobre o canto do painel e descer a escada, deixando para mim a tarefa de varrer o cabelo cortado do chão, limpar os fios dos meus ombros e pescoço, e guardar a máquina na gaveta do banheiro.

Depois, volto para o meu quarto e encaro os objetos quebrados no chão. Cuidadosamente, reúno-os em uma pilha e os jogo na lixeira ao lado da minha mesa, peça por peça.

Fazendo uma careta de dor, eu me levanto. Minhas pernas estão trêmulas.

Neste momento, encarando a vida vazia que construí para mim mesmo aqui e os restos destruídos dos meus poucos pertences, eu penso: *preciso ir embora*.

É um pensamento potente. Sinto a sua força dentro de mim, como um sino tocando, então penso novamente. *Preciso ir embora*.

Caminho até a cama e enfio a mão sob o travesseiro, onde a escultura da minha mãe continua segura, azul e brilhante com a luz da manhã. Coloco-a sobre a mesa, ao lado da pilha de livros, e deixo o quarto, fechando a porta ao sair.

No andar de baixo, estou nervoso demais para comer, mas enfio uma fatia de torrada na boca mesmo assim, para que meu pai não me faça perguntas. Eu não deveria me preocupar. Agora, ele está fingindo que não existo, fingindo que eu não faço uma careta de dor sempre que preciso me abaixar para pegar algo.

Preciso ir embora. Isso virou um cântico, um mantra, a única coisa à qual ainda consigo me agarrar.

Ele acaba de ler as notícias que a Erudição publica todas as manhãs, eu termino de lavar a louça que sujei, e deixamos a casa juntos sem trocarmos uma única palavra. Caminhamos pela calçada, ele cumprimenta nossos vizinhos com um sorriso, e tudo está sempre em perfeita ordem para Marcus Eaton, exceto pelo seu filho. Exceto por mim; eu não estou em ordem, mas em constante caos.

Mas hoje isso é bom.

Entramos no ônibus e paramos no corredor para permitir que as pessoas se sentem ao nosso redor, em um retrato perfeito da deferência da Abnegação. Assisto aos outros passageiros embarcando, garotos e garotas falastrões da Franqueza, membros da Erudição, com seus semblantes estudiosos. Vejo os outros membros da Abnegação se levantando para ceder o assento. Hoje, todos estão indo para o mesmo lugar: o Eixo, um pilar preto a distância, com suas duas pontas apunhalando o céu.

Quando chegamos, meu pai apoia a mão no meu ombro conforme caminhamos até a entrada, lançando choques de dor pelo meu corpo.

Preciso ir embora.

É um pensamento desesperado, e a dor só o estimula mais a cada passo que dou enquanto subo as escadas até o andar da Cerimônia de Escolha. Tenho dificuldade em respirar, mas não devido às minhas pernas que ardem; é por causa do meu coração fraco, que se fortalece a cada segundo. Ao meu lado, Marcus enxuga gotas de suor da testa, e todos os outros membros da Abnegação fecham suas bocas para não ofegarem e parecerem estar reclamando.

Levanto os olhos e vejo os degraus diante de mim. Sou incendiado por esse pensamento, essa necessidade, essa chance de escapar.

Chegamos ao andar certo, e todos param para recobrar o fôlego antes de entrar. A sala é mal-iluminada, as janelas estão fechadas, as cadeiras ordenadas ao redor de um círculo de recipientes de vidro, água, pedras, carvão e terra. Encontro o meu lugar na fileira, entre uma garota da Abnegação e um garoto da Amizade. Marcus para na minha frente.

— Você sabe o que deve fazer — diz ele, e parece estar falando mais consigo mesmo do que comigo. — Você sabe qual é a escolha certa. Eu sei que você sabe.

Apenas encaro um ponto abaixo dos seus olhos.

— Nos vemos em breve — diz ele.

Meu pai caminha em direção ao setor da Abnegação e se senta na primeira fileira com alguns dos outros líderes do conselho. As pessoas aos poucos enchem o salão, os que vão fazer a escolha ficam de pé em um canto, e os que estão assistindo à cerimônia se sentam em cadeiras no centro. As portas são fechadas, e há um momento de silêncio enquanto o representante do conselho da Audácia caminha até o pódio. Seu nome é Max. Ele agarra o canto do pódio, e consigo ver, até mesmo daqui, que seus punhos estão feridos.

Será que eles aprendem a lutar na Audácia? Certamente, sim.

— Sejam bem-vindos à Cerimônia de Escolha — diz Max, e sua voz grave preenche facilmente o salão. Ele não precisa do microfone; sua voz é alta e potente o bastante para penetrar meu crânio e envolver meu cérebro. – Hoje, vocês vão escolher as suas facções. Até este momento, vocês seguiram os caminhos dos seus pais, as regras dos seus pais. Hoje, encontrarão seus próprios caminhos, criarão suas próprias regras.

Quase consigo ver meu pai contrair os lábios em desdém ao ouvir um discurso tão típico da Audácia. Conheço os hábitos dele tão bem que quase o imito, embora não compartilhe o sentimento. Não tenho nenhuma opinião em relação à Audácia.

– Há muito tempo, nossos ancestrais perceberam que cada um de nós, cada indivíduo, era responsável pelo mal que existe no mundo. Mas eles não concordaram sobre o que exatamente era esse mal – diz Max. – Alguns diziam que era a duplicidade...

Penso nas mentiras que já contei, ano após ano, sobre determinada ferida ou corte, e nas minhas omissões quando escondi meus segredos de Marcus.

– Alguns diziam que era a ignorância, outros, a agressividade...

Penso na paz dos pomares da Amizade e na liberdade que encontraria lá, longe da violência e da crueldade.

– Alguns diziam que a causa era o egoísmo.

Isto é para o seu próprio bem, foi o que Marcus disse antes do primeiro golpe. Como se me bater fosse um ato de sacrifício. Como se doesse nele também. Bem, *ele* não estava mancando pela cozinha hoje de manhã.

– E o último grupo disse que a culpa era da covardia.

Alguns membros da Audácia gritam e assobiam, e o restante dos integrantes da facção cai na gargalhada. Penso no medo que me engoliu ontem, até eu não conseguir sentir mais nada, até eu não conseguir mais respirar. Penso nos anos em que fiquei esmagado no chão, sob os pés do meu pai.

— Foi assim que criamos as nossas facções: Franqueza, Erudição, Amizade, Abnegação e Audácia. — Max abre um sorriso. — Nelas, encontramos administradores, professores, conselheiros, líderes e protetores. Nelas, encontramos nosso senso de pertencimento, nosso senso de comunidade, nossas próprias vidas. — Ele limpa a garganta. — Mas chega disso. Vamos direto ao ponto. Venham para a frente e peguem as suas facas, depois façam a escolha. O primeiro é Zellner, Gregory.

Faz sentido que a dor me siga da minha vida antiga até a minha vida nova, através da faca cortando a palma da minha mão. Apesar disso, mesmo hoje de manhã, eu não sabia qual facção escolheria como refúgio. Gregory Zellner posiciona sua mão sangrenta sobre o recipiente com a terra, escolhendo a Amizade.

A Amizade parece a escolha óbvia para um refúgio, com sua vida pacífica, seus pomares cheirosos e sua comunidade sorridente. Lá eu encontraria o tipo de aceitação que busquei a vida inteira, e talvez, com o tempo, a facção pudesse me ensinar a me sentir mais seguro e confortável a respeito de quem sou.

Mas, ao olhar para as pessoas sentadas naquela seção, com suas roupas vermelhas e amarelas, vejo apenas pessoas inteiras e curadas, capazes de incentivar umas às outras, de apoiar umas às outras. Eles são perfeitos demais, bondosos demais, para que alguém como eu seja levado aos seus braços por raiva e medo.

A cerimônia está andando rápido demais.

— Rogers, Helena.

Ela escolhe a Franqueza.

Sei o que acontece durante a iniciação da Franqueza. Ouvi alguém cochichar sobre isso na escola uma vez. Lá, eu seria obrigado a expor todos os meus segredos, desencavá-los com as minhas próprias unhas. Eu teria que me esfolar vivo para me juntar à Franqueza. Não, não posso fazer isso.

— Lovelace, Frederick.

Frederick Lovelace, todo vestido de azul, corta a palma da sua mão e pinga o seu sangue na água da Erudição, deixando-a de um tom rosado. Consigo aprender rápido o suficiente para a Erudição, mas também me conheço bem o bastante para compreender que sou volátil e emocional demais para um lugar como aquele. A facção me sufocaria, e o que quero é ser livre, e não ser enfiado em outra prisão.

Não demora muito para o nome da menina da Abnegação ao meu lado ser chamado.

— Erasmus, Anne.

Anne, outra que nunca encontrou mais do que algumas poucas palavras para dirigir a mim, tropeça para a frente e desce o corredor até o pódio de Max. Ela aceita a faca com as mãos trêmulas, corta a palma de uma delas e a estende sobre o recipiente da Abnegação. Para ela, é fácil. Ela não tem motivo para fugir, apenas uma comunidade receptiva e bondosa para a qual voltar. Além disso, há anos ninguém da Abnegação se transfere. É a facção mais leal, segundo as estatísticas da Cerimônia de Escolha.

— Eaton, Tobias.

Não estou nervoso ao descer o corredor até os recipientes, embora ainda não tenha feito a minha escolha. Max me entrega a faca, e envolvo o seu cabo com os meus dedos. O cabo é liso e frio, e a lâmina está limpa. Uma faca nova para cada pessoa, e uma nova escolha.

Ao caminhar até o centro da sala, até ficar diante dos recipientes, passo por Tori, a mulher que administrou o meu teste de aptidão. *É você quem precisará conviver com a sua escolha*, disse ela. O cabelo dela está preso, e consigo ver uma tatuagem em sua clavícula, quase no pescoço. Seus olhos encontram os meus com uma intensidade peculiar, e eu a encaro de volta, impávido, ao me posicionar entre os recipientes.

Com qual opção conseguirei viver? Não com a Erudição ou a Franqueza. Nem com a Abnegação, o lugar de onde estou tentando escapar. Nem mesmo com a Amizade, para a qual estou danificado demais.

Na verdade, quero que a minha escolha seja uma faca atravessando o coração do meu pai, apunhalando-o, causando o máximo de dor, vergonha e decepção possível.

Apenas uma escolha tem esse poder.

Olho para ele, vejo-o assentir com a cabeça e abro um corte fundo na palma da minha mão, tão fundo que meus olhos lacrimejam de dor. Afasto as lágrimas, piscando, e fecho a mão em um punho, para permitir que o sangue se acumule. Os olhos dele são iguais aos meus, de um azul tão profundo que, nesta luz, parecem quase pretos, como fossos em seu crânio. Minhas costas latejam e doem, a camisa de colarinho arranha a minha pele ferida, a pele que ele marcou com o cinto.

Abro a mão sobre os carvões. Parece que eles queimam o meu estômago, enchendo-me até a borda com fogo e fumaça.

Eu estou livre.

+ + +

Não ouço a comemoração dos membros da Audácia; tudo o que ouço é um zumbido.

Minha facção é como uma criatura de muitos braços estendendo-se na minha direção. Caminho até eles e nem me dou o trabalho de olhar para trás para ver a expressão do meu pai. Recebo tapinhas nos braços, parabenizando-me pela escolha, e sigo até a parte de trás do grupo, com o sangue escorrendo pelos dedos.

Paro entre os outros iniciandos, ao lado de um garoto da Erudição de cabelo preto, que com um único olhar me avalia e logo me ignora. Não devo parecer grande coisa, vestindo o cinza da Abnegação, alto e magricelo, depois do estirão de crescimento do último ano. O corte na minha mão está quase jorrando, e o sangue pinga no chão e escorre pelo meu pulso. Enfiei a faca fundo demais.

Enquanto as últimas pessoas escolhem, seguro a bainha da minha camisa larga da Abnegação entre os dedos e a rasgo. Arranco uma tira de tecido da frente da camisa e envolvo-a na minha mão para estancar o sangramento. Não precisarei mais destas roupas.

Os membros da Audácia sentados à nossa frente se levantam assim que a última pessoa escolhe e correm em direção às portas, carregando-me junto. Viro-me logo antes de atravessar a porta, sem conseguir me conter, e vejo meu pai, ainda sentado na primeira fileira, com alguns outros membros da Abnegação ao redor. Ele parece atordoado.

Abro um pequeno sorriso. Eu consegui. *Consegui* botar aquela expressão na cara dele. Não sou a criança perfeita da Abnegação, fadada a ser engolida por inteiro pelo sistema e dissolvida em meio à obscuridade. Não, sou a primeira pessoa a se transferir da Abnegação para a Audácia em mais de uma década.

Viro e começo a correr para alcançar os outros, porque não quero ficar para trás. Antes de deixar o salão, desaboto a camisa de manga comprida rasgada e deixo-a cair no chão. A camiseta cinza que uso por baixo também é grande demais para mim, mas é mais escura e se mistura melhor com as roupas pretas da Audácia.

Eles descem as escadas de maneira barulhenta, abrindo as portas aos encontrões, rindo e gritando. Sinto as minhas costas, ombros, pulmões e pernas queimando e, de repente, já não tenho mais certeza de ter feito a escolha certa, de ter escolhido as pessoas certas a quem me juntar. Eles são tão barulhentos e selvagens. Será que conseguirei mesmo criar um lugar para mim entre eles? Não sei.

Acho que não tenho escolha.

Abro caminho, procurando os outros iniciandos, mas eles parecem ter desaparecido. Vou até a lateral do grupo, tentando ver para onde estamos indo, e avisto os trilhos de trem suspensos sobre a rua à nossa frente, em uma grade entrelaçada de madeira e metal. Os membros da Audácia sobem a escada e se espalham pela plataforma. Ao pé da escada há tanta gente que não consigo passar, mas sei que se eu não subir a escada logo posso perder o trem; então decido abrir caminho à força. Preciso cerrar os dentes para me segurar e não pedir desculpas enquanto acotovelo pessoas para que saiam da minha frente, e a multidão me empurra escada acima.

— Você até que corre bem — diz Tori ao se aproximar de mim na plataforma. — Para um garoto da Abnegação, pelo menos.

— Obrigado.

— Você sabe o que acontece agora, não sabe? — Ela vira e aponta para a luz distante, na frente do trem que se aproxima. — O trem não vai parar. Ele vai apenas desacelerar um pouco. E, se você não conseguir embarcar, já era para você. Você se tornará um sem-facção. É bem fácil ser expulso.

Assinto com a cabeça. O fato de a prova de iniciação ter começado no segundo em que deixamos a Cerimônia de Escolha não me surpreende. E a Audácia esperar que eu prove do que sou capaz também não me surpreende. Assisto ao trem se aproximando. Já consigo ouvi-lo apitar sobre os trilhos.

Ela sorri para mim.

— Você vai se sair muito bem aqui, não é mesmo?

— Por que diz isso?

Ela dá de ombros.

— Você me parece alguém que está disposto a lutar, só isso.

O trem se aproxima ruidosamente de nós, e os membros da Audácia começam a saltar para dentro. Tori corre em direção à beirada da plataforma, e eu a sigo, imitando a sua postura e os seus movimentos enquanto ela se prepara para saltar. Ela agarra a barra na beirada da porta e se lança para dentro, então faço o mesmo, a princípio com dificuldade, mas depois consigo içar o corpo e entrar.

Mas não estou preparado para a curva do trem e tropeço, batendo com o rosto na parede de metal. Seguro o meu nariz dolorido.

— Quanta elegância! — observa um garoto da Audácia dentro do trem. Ele é mais jovem do que Tori, tem a pele escura e um sorriso simpático.

— Requinte é coisa dos metidos da Erudição — comenta Tori. — Ele conseguiu entrar no trem, Amah, e é isso o que importa.

— Mas ele deveria estar no outro vagão. Com os outros iniciandos — diz Amah. Ele me encara, porém não da mesma maneira que o garoto transferido da Erudição fez há alguns minutos. Parece mais curioso do que qualquer outra coisa, como se eu fosse algo estranho que ele precisa examinar com cuidado para entender. — Se ele é seu amigo, acho que não tem problema. Qual é o seu nome, Careta?

Meu nome está na ponta da língua assim que ele faz a pergunta, e estou prestes a responder como sempre fiz, dizendo que sou Tobias Eaton. Isso deveria ser natural, mas, naquele momento, não consigo dizer meu nome em voz alta, não aqui, entre as pessoas que esperava que fossem meus novos amigos, minha nova família. Não posso, não *serei* mais o filho de Marcus Eaton.

— Você pode me chamar de 'Careta'. Não estou nem aí — digo, experimentando o tipo de gracejo ácido da Audácia, que até hoje só ouvi nos corredores e nas salas de aula da escola. O vento invade o vagão à medida que o trem acelera, e o som é *alto*, rugindo nos meus ouvidos.

Tori olha para mim de forma estranha, e, por um segundo, temo que ela revele o meu nome a Amah. Com certeza ela ainda se lembra dele, por conta do teste de aptidão. Mas ela apenas assente de leve, e, aliviado, volto-me para a porta aberta, ainda segurando a barra lateral.

Nunca me ocorreu que eu poderia um dia me recusar a revelar a alguém meu nome, ou que eu poderia fornecer um nome falso, construir uma identidade nova para mim mesmo. Aqui, sou livre. Livre para responder rispidamente às pessoas, para me recusar a fazer algo que elas pedirem e até mesmo mentir.

Vejo a rua entre as vigas de madeira que sustentam os trilhos do trem, apenas um andar abaixo de nós. Mais adiante, os velhos trilhos dão lugar a trilhos mais novos, e a plataforma fica mais alta, passando ao lado dos telhados dos prédios. A subida é gradual, eu nem a perceberia se não estivesse encarando o chão enquanto nos afastamos cada vez mais dele e nos aproximamos do céu.

O medo enfraquece minhas pernas, então me afasto da porta e me agacho junto a uma parede, à espera do nosso destino.

+ + +

Ainda estou na mesma posição, agachado junto à parede, com a cabeça apoiada nas mãos, quando Amah me cutuca com o pé.

— Levante-se, Careta — diz ele, mas não com rispidez. — Está quase na hora de saltar.

— Saltar? — pergunto.

— É. — Ele abre um sorriso debochado. — Este trem não para pra ninguém.

Levanto-me com dificuldade. O pano que enrolei na minha mão está encharcado e vermelho. Tori vem logo atrás de mim e me empurra em direção à porta.

— Deixem que o iniciando salte primeiro.

— O que você está fazendo? — pergunto, olhando-a feio.

— Estou lhe fazendo um favor! — responde ela, empurrando-me outra vez em direção à porta.

Os outros membros da Audácia abrem caminho para mim, todos sorrindo como se eu fosse uma presa. Arrasto os pés até a beirada, agarrando a barra com tanta força que meus dedos começam a ficar dormentes. Vejo o local para onde devo saltar. Mais adiante, os trilhos ficam bem próximos do telhado de um prédio antes de fazerem uma curva. Daqui o vão parece pequeno, mas, à medida que o trem se aproxima do telhado, ele fica cada vez mais largo, e a minha morte iminente parece cada vez mais provável.

Todo o meu corpo treme enquanto os membros da Audácia nos vagões à nossa frente começam a saltar. Nenhum deles erra o salto, mas isso não significa que não serei o primeiro. Solto os dedos da barra, encaro o telhado e dou o máximo de impulso que consigo.

O impacto atravessa o meu corpo, e desabo para a frente, com as mãos e os joelhos no chão, e os cascalhos do telhado perfuram a ferida na palma da minha mão. Olho para meus dedos. É como se o tempo avançasse, e meu salto simplesmente tivesse desaparecido de minha visão e da memória.

— Droga — diz alguém atrás de mim. — Eu esperava que a gente pudesse varrer da calçada uma panqueca de Careta mais tarde.

Encaro o chão e me sento sobre os calcanhares. O telhado está inclinando e balançando sob mim. Não sabia que era possível ficar tonto de medo.

Mas sei que, pelo menos, acabo de passar em dois testes da iniciação: embarquei num trem em movimento e consegui saltar para o telhado. A questão agora é: como será que o pessoal da Audácia *desce* do telhado?

Pouco depois, Amah sobe na mureta, e eu tenho a minha resposta: eles vão nos obrigar a saltar.

Fecho os olhos e finjo que não estou ali, ajoelhado sobre estes cascalhos, com estas pessoas loucas e tatuadas ao redor de mim. Vim aqui para escapar, mas isto não é uma fuga, apenas uma forma diferente de tortura, e já é tarde demais para me livrar disto. Minha única opção, portanto, é sobreviver.

— Sejam bem-vindos à Audácia! — grita Amah. — Aqui, suas únicas opções são encarar os seus medos e tentar não morrer no processo, ou ir embora como covardes. Como era de se esperar, este ano tivemos o menor número de transferidos de facção.

Os membros da Audácia ao redor de Amah erguem os punhos e gritam, encarando o fato de que ninguém quer se juntar a eles como motivo de orgulho.

— A única maneira de chegar ao complexo da Audácia por este telhado é saltando da mureta — explica Amah, abrindo os braços para indicar o espaço vazio à sua volta. Ele inclina o corpo para trás e balança os braços, como se estivesse prestes a cair, mas recobra o equilíbrio e abre um sorriso. Respiro fundo pelo nariz e prendo o ar.

— Como sempre, ofereço para os nossos iniciandos a oportunidade de ir primeiro, sejam eles nascidos na Audácia ou não. — Ele desce da mureta e gesticula na direção dela em seguida, com as sobrancelhas erguidas.

Os jovens da Audácia perto da mureta se entreolham. Avisto, mais afastados, o garoto da Erudição que vi antes, uma garota da Amizade, dois garotos e uma garota da Franqueza. Somos apenas seis.

Um dos iniciandos da Audácia dá um passo à frente, um rapaz de pele escura que gesticula pedindo a torcida dos amigos.

— Vai, Zeke! — grita uma das garotas.

Zeke pula sobre a mureta, mas calcula mal o movimento e se desequilibra, caindo para a frente imediatamente. Ele grita algo ininteligível e desaparece. A menina da Franqueza quase arqueja, cobrindo a boca com a mão, mas os amigos da Audácia de Zeke caem na gargalhada. Acho que não foi o momento dramático e heroico que ele esperava.

Sorrindo, Amah gesticula outra vez para a mureta. Os nascidos na Audácia formam uma fila atrás dela, assim como o garoto da Erudição e a garota da Amizade. Sei que tenho que me juntar a eles, tenho que saltar, independentemente de como me sinta. Aproximo-me da fila, rígido, como se as minhas juntas fossem parafusos enferrujados. Amah olha para o relógio e passa a indicar o momento em que cada pessoa deve saltar, com intervalos de trinta segundos entre si.

A fila está encolhendo, se dissolvendo.

De repente, a fila termina, e sou o único que resta. Subo na mureta e espero a indicação de Amah para saltar. O sol está se pondo atrás dos prédios distantes, cuja silhueta denteada não consigo reconhecer deste ângulo. A luz brilha, dourada, perto do horizonte, e o vento sopra, subindo pela lateral do prédio e balançando as roupas no meu corpo.

— Pode ir — diz Amah.

Fecho os olhos e fico paralisado; nem consigo me impulsionar para fora do telhado. Tudo o que consigo fazer é inclinar o corpo para a frente e cair. Meu estômago desaba, e meus membros vasculham o ar, tentando se agarrar a alguma coisa, mas não há nada, apenas a queda, o ar, a busca desesperada pelo chão.

De repente, caio em uma rede.

Ela se enrosca ao redor do meu corpo, envolvendo-me em fios fortes. Mãos se estendem na beirada. Engancho os dedos na rede e me puxo na direção delas. Caio em pé sobre uma plataforma de madeira, e um homem com pele marrom-escura e punhos feridos sorri para mim. Max.

— O Careta! — Ele dá um tapa nas minhas costas, fazendo-me contrair o rosto em uma expressão de dor. — É bom ver que você chegou até aqui. Junte-se aos outros iniciandos. Amah deve descer em breve.

Atrás dele há um túnel escuro com paredes de pedra. O complexo da Audácia é subterrâneo. Pensei que ele ficaria pendurado no topo de um edifício alto por uma série de cordas frágeis, o que seria a concretização dos meus piores pesadelos.

Tento descer os degraus e me juntar aos outros iniciandos. Minhas pernas parecem ter voltado a funcionar. A garota da Amizade sorri para mim.

— Aquilo foi surpreendentemente divertido — comenta ela. — Meu nome é Mia. Você está bem?

— Parece que ele está tentando não vomitar — diz um dos rapazes da Franqueza.

— Bota logo pra fora, cara — diz o outro garoto da Franqueza. — Adoraríamos um espetáculo.

Minha resposta irritada parece sair do nada:

— Cala a boca.

Para a minha surpresa, é exatamente isso que eles fazem. Acho que não estão acostumados a ouvir um "cala a boca" de alguém da Abnegação.

Alguns segundos depois, vejo Amah rolar para fora da rede. Ele desce a escada com um aspecto selvagem e amarrotado, como se estivesse pronto para a próxima acrobacia insana. Depois pede a todos os iniciandos que se aproximem, e nos reunimos na entrada do grande túnel, em semicírculo.

Amah junta as mãos em frente ao corpo.

— Meu nome é Amah — apresenta-se. — Sou seu instrutor de iniciação. Eu cresci aqui e, há três anos, passei na iniciação com mérito, o que significa que poderei ser o responsável pelos recém-chegados pelo tempo que quiser. Sorte de vocês.

"Os iniciandos nascidos na Audácia e os transferidos realizam a maior parte do treinamento físico separados, para que os nascidos na Audácia não quebrem os transferidos ao meio logo de cara... — Do outro lado do semicírculo, os iniciandos nascidos na Audácia sorriem ao ouvir isso. — Mas, este ano, tentaremos algo diferente. Os líderes da Audácia e eu queremos saber se conhecer os seus medos antes do início do treinamento poderá prepará-los melhor para o restante da iniciação. Portanto, antes mesmo de permitir que vocês entrem no refeitório e jantem, vamos participar de uma sessão de autodescoberta. Sigam-me."

— E se eu não quiser me autodescobrir? — pergunta Zeke.

Basta um olhar de Amah para fazer Zeke se misturar novamente ao grupo de iniciandos nascidos na Audácia. Amah é diferente de qualquer pessoa que já conheci. Pode ser simpático em uma hora e rígido na outra, e às vezes é as duas coisas ao mesmo tempo.

Ele nos guia pelo túnel até chegarmos a uma porta construída na parede, que ele abre com o ombro. Nós o seguimos para dentro de uma sala úmida com uma enorme janela na parede do fundo. Sobre nossas cabeças, as luzes fluorescentes tremeluzem e piscam, e Amah começa a mexer em uma máquina que se parece bastante com a usada no meu teste de aptidão. Ouço o som de algo pingando. Há uma goteira no teto que forma uma poça no canto da sala.

Outra sala enorme e vazia é visível do outro lado da janela. Há câmeras em todos os cantos. Será que há câmeras por todo o complexo da Audácia?

— Esta é a sala da paisagem do medo — anuncia Amah, sem tirar os olhos da máquina. — Uma paisagem do medo é uma simulação na qual vocês confrontarão os seus maiores temores.

Em uma mesa ao lado da máquina há uma fileira de seringas. Sob a luz tremeluzente elas parecem sinistras, como se pudessem ser instrumentos de tortura, facas, lâminas e atiçadores em brasa.

— Como isso é possível? — indaga o garoto da Erudição. — Vocês não sabem os nossos maiores medos.

— Eric, certo? — pergunta Amah. — Você tem razão, eu não sei quais são os seus maiores medos, mas o soro que injetarei em você estimulará as partes do seu cérebro que processam o medo, e você mesmo criará os obstáculos da simulação, de certa forma. Nessa simulação, ao contrário do teste de aptidão, você estará ciente de que o que verá não é real. Enquanto isso, eu estarei nesta sala, controlando o procedimento, e posso fazer o programa embutido no soro de simulação prosseguir para o próximo obstáculo, uma vez que seu batimento cardíaco atinja determinada frequência, ou seja, uma vez que você tenha se acalmado ou enfrentado seu medo de maneira significativa. Quando seus medos acabarem, o programa se encerrará e você 'acordará' naquela sala novamente com um conhecimento maior deles.

Ele pega umas das seringas e pede que Eric se aproxime.

— Permita que eu satisfaça a sua curiosidade da Erudição — diz ele. — Você vai ser o primeiro.

— Mas...

— Mas — diz Amah suavemente — sou o seu instrutor de iniciação, e é melhor você fazer o que mando.

Eric fica parado por um instante, depois tira o casaco azul, dobra-o ao meio e o pousa sobre o encosto de uma cadeira. Seus movimentos são lentos e calculados, com a intenção, imagino, de irritar Amah o máximo possível. Eric se aproxima de Amah, que crava a seringa quase com selvageria na lateral do seu pescoço. Em seguida, ele guia Eric até a sala ao lado.

Quando Eric já está posicionado no meio da outra sala, atrás do vidro, Amah se conecta à máquina com eletrodos e aperta algo no monitor do computador atrás dela para iniciar o programa.

Eric está parado com as mãos abaixadas. Ele nos olha através da janela e, um instante depois, apesar de não ter se movido, parece que está olhando para outra coisa, como se a simulação já tivesse começado. Mas ele não grita nem se debate ou chora, como eu esperaria que alguém fizesse ao encarar seus maiores medos. Seu batimento cardíaco, registrado pelo monitor diante de Amah, não para de subir, como um pássaro alçando voo.

Ele está com medo. Está com medo, mas não se move.

— O que está acontecendo? — pergunta Mia para mim. — O soro está funcionando?

Eu faço que sim com a cabeça.

Vejo Eric encher os pulmões de ar e exalar pelo nariz. Seu corpo treme e estremece, como se o chão vibrasse sob seus pés, mas sua respiração é lenta e regular, e seus músculos se contraem e relaxam em intervalos de alguns segundos, como se ele os estivesse tensionando acidentalmente, para depois corrigir seu erro. Olho para a sua frequência cardíaca no monitor diante de Amah conforme ela desacelera cada vez mais, até que Amah toca a tela, forçando o programa a seguir em frente. Isso se repete com cada novo medo. Conto os medos que passam em silêncio, dez, onze, doze. Então Amah toca a tela pela última vez, e Eric relaxa o corpo. Ele pisca devagar, depois abre um sorriso debochado ao olhar para a janela.

Percebo que os iniciandos nascidos na Audácia, que costumam comentar tudo, ficam em silêncio. Isso deve significar que o que estou sentindo é correto, que Eric é alguém em quem devemos ficar de olho. Talvez até alguém que devamos temer.

+ + +

Durante mais de uma hora, vejo os outros iniciandos encararem seus medos, correndo, pulando, apontando armas invisíveis e, em alguns casos, deitados de bruços no chão, chorando. Às vezes, tenho uma ideia do que eles estão vendo, dos medos rastejantes que os atormentam, mas, na maioria dos casos, os vilões que tentam afastar são particulares, conhecidos apenas por eles e por Amah.

Fico perto dos fundos da sala, estremecendo sempre que ele chama a pessoa seguinte. Mas, de repente, sou o último, e Mia está acabando a sessão, retirada da paisagem do medo quando está agachada perto da parede dos fundos, com a cabeça nas mãos. Ela se levanta, aparentemente esgotada, e se arrasta para fora da sala, sem esperar que Amah a dispense. Ele olha para a última seringa na mesa e depois para mim.

— Somos só você e eu agora, Careta — diz ele. — Venha, vamos acabar logo com isso.

Paro diante dele. Quase não sinto a agulha entrar; nunca tive medo de injeções, mas alguns dos outros iniciandos ficaram com os olhos marejados na vez deles. Entro na sala e encaro a janela, que, deste lado, parece um espelho. No momento antes de a simulação fazer efeito, consigo ver a mim mesmo da mesma maneira que os outros devem me ver, com os ombros caídos e afogado nas roupas largas, alto, ossudo e sangrando. Tento ajeitar a postura e me surpreendo com a diferença, com a sombra de força que vejo em mim mesmo logo antes de a sala desaparecer.

Imagens fragmentadas preenchem a sala: o horizonte da nossa cidade, o buraco na calçada sete andares abaixo de mim, a mureta sob meus pés. O vento sobe pela lateral do prédio, mais forte do que quando estive ali na vida real, atingindo as minhas roupas com tanta força que elas estalam e me empurrando de todas as direções. De repente, o prédio cresce sob mim, afastando-me ainda mais do chão. O buraco fecha, e o cimento duro o cobre.

Tento ir para longe da beirada, mas o vento não permite que eu recue. Meu coração bate mais forte e mais rápido enquanto confronto a realidade do que preciso fazer; preciso saltar outra vez, agora sem a garantia de que não haverá dor ao atingir o chão.

Uma panqueca de Careta.

Balanço as mãos, fecho os olhos com força e solto um grito entre dentes cerrados. Depois, sigo o empurrão do vento e desabo, rápido. Atinjo o chão.

Uma dor lancinante e escaldante atravessa o meu corpo apenas por um segundo.

Eu me levanto, limpo a poeira das bochechas e espero o obstáculo seguinte. Não tenho a menor ideia do que será. Não dediquei muito tempo para pensar sobre meus medos, ou até mesmo sobre o que significaria libertar-me do medo, vencê-lo. Ocorre-me que, sem o medo, eu poderia ser forte, poderoso, implacável. A ideia me seduz por apenas um segundo, quando sou atingido nas costas com força.

Depois, algo atinge uma costela esquerda, então uma direita, e, de repente, estou enclausurado em uma caixa na qual cabe apenas o meu corpo. A princípio, o choque me protege do pânico, mas depois respiro o ar estagnado e encaro a escuridão, e minhas entranhas se espremem cada vez mais. Não consigo mais respirar. Não consigo respirar.

Mordo o lábio para evitar um soluço. Não quero que Amah me veja chorar, não quero que ele diga aos outros membros da Audácia que sou um covarde. Preciso pensar, mas não consigo, sufocado dentro da caixa. A parede às minhas costas é a mesma das lembranças de quando eu era criança, trancado na escuridão do corredor do segundo andar, de castigo. Eu nunca sabia quando aquilo acabaria, quantas horas passaria lá, preso com monstros imaginários aterrorizando-me na escuridão, com o som do choro da minha mãe atravessando as paredes.

Esmurro a parede à minha frente várias vezes, depois a arranho, embora as farpas machuquem a pele sob minhas unhas. Levanto os antebraços e atinjo a caixa com todo o peso do corpo, sem parar, fechando os olhos para fingir que não estou aqui dentro, não estou. *Deixe-me sair, deixe-me sair, deixe-me sair, deixe-me sair.*

— Pense em uma solução, Careta! — grita uma voz, e eu fico paralisado. Lembro-me de que isso é uma simulação.

Pense em uma solução. Do que preciso para sair desta caixa? Preciso de uma ferramenta, algo mais forte do que eu. Esbarro em algo com os dedos do pé e me agacho para pegar. Mas, ao fazer isso, o topo da caixa se move comigo, e não consigo mais levantar o corpo. Engulo um grito e encontro a ponta afiada de um pé de cabra com os dedos. Eu o enfio entre as tábuas que formam o canto esquerdo da caixa e empurro com toda a minha força.

Todas as tábuas abrem ao mesmo tempo e se espalham no chão ao meu redor. Respiro o ar fresco, aliviado.

De repente, uma mulher aparece à minha frente. Não reconheço o seu rosto, e suas roupas são brancas, não pertencem a nenhuma facção. Caminho em direção a ela, e uma mesa surge diante de mim, com uma arma e uma bala sobre ela. Franzo a testa ao olhá-la.

Isso é um medo?

— Quem é você? — pergunto, mas ela não responde.

O que preciso fazer está claro: carregar a arma e dispará-la. O terror se assoma dentro de mim, tão poderoso quanto qualquer medo. Minha boca fica seca, e, sem jeito, pego a arma e a bala. Nunca segurei uma arma e demoro alguns segundos para descobrir como abrir o pente da pistola. Nesses segundos penso na luz dos olhos dela se apagando, essa mulher desconhecida, que não conheço bem o bastante para me importar.

Estou com medo. Estou com medo do que serei obrigado a fazer na Audácia, do que terei vontade de fazer.

Medo de que possa haver algum tipo de violência oculta dentro de mim, forjada pelo meu pai e pelos anos de silêncio aos quais minha facção me submeteu.

Coloco a bala dentro do pente, seguro a arma com as duas mãos e o corte na minha palma lateja. Olho para o rosto da mulher. O lábio inferior dela estremece, e os olhos dela se enchem de lágrimas.

— Perdão — digo, e aperto o gatilho.

Vejo o buraco escuro que a bala cria no corpo dela, e a mulher desaba, evaporando em uma nuvem de poeira ao atingir o chão.

Mas o terror não passa. Sei que há mais por vir; consigo sentir algo se assomando dentro de mim. Marcus ainda não apareceu, mas ele aparecerá, sei disso como sei o meu próprio nome. O nosso nome.

Um círculo de luz me envolve, e, na sua extremidade, vejo sapatos cinzentos e gastos se aproximando. Marcus Eaton aparece na beirada do círculo de luz, mas não o Marcus Eaton que conheço. Este tem fossos no lugar dos olhos e uma enorme bocarra preta onde deveria estar a boca.

Outro Marcus Eaton para ao seu lado, e, aos poucos, ao redor de todo o círculo, versões cada vez mais monstruosas do meu pai se aproximam para me cercar, com bocas largas e desdentadas escancaradas, cabeças inclinadas de maneira estranha. Cerro os punhos. Não é real. É óbvio que não é real.

O primeiro Marcus desafivela o cinto e o tira da cintura, passador após passador, e, enquanto faz isso, os outros Marcus repetem o movimento. Então os cintos se transformam em cordas de metal com pontas farpadas. Eles arrastam os cintos em linhas pelo chão, com suas línguas pretas e oleosas deslizando pelo canto das bocas escuras. De repente, eles levantam as cordas de metal, e eu solto um grito com toda a força, protegendo a cabeça com os braços.

— É para o seu bem — dizem os Marcus com vozes metálicas em uníssono, como um coral.

Sinto a dor rasgar, lacerar, retalhar. Caio de joelhos e ponho os braços ao redor da cabeça, como se eles pudessem me proteger, mas nada pode me proteger, nada. Solto outro grito, e mais outro, e mais outro, mas a dor continua, assim como sua voz:

— Não aceitarei caprichos dentro da minha casa! Não criei o meu filho para ser um mentiroso!

Não consigo escutar, não vou escutar.

A imagem da escultura que minha mãe me deu surge na minha mente de forma espontânea. Vejo-a onde a coloquei, sobre a mesa, e a dor começa a recuar. Concentro todo o pensamento na escultura e nos outros objetos espalhados ao redor do quarto, quebrados, e na tampa do baú solta das dobradiças. Lembro-me das mãos da minha mãe, com seus dedos finos, fechando o baú, trancando-o e me entregando a chave.

Uma por uma, as vozes desaparecem, até que não resta mais nenhuma.

Deixo meus braços desabarem no chão, esperando o próximo obstáculo. As juntas dos meus dedos arrastam no chão de pedra, frio e granuloso de terra. Ouço passos e me preparo para o que virá a seguir, mas então escuto a voz de Amah:

— Já? Já acabou? Meu Deus, Careta.

Ele para ao meu lado e me oferece a mão. Eu a seguro e deixo que ele me ajude a levantar. Não olho para ele. Não quero ver a sua expressão. Não quero que ele saiba o que sabe, não quero ser o iniciando patético cuja infância foi problemática.

— Acho que devemos arrumar outro nome pra você — diz ele com naturalidade. — Algo mais durão do que 'Careta'. Como 'Lâmina', 'Matador' ou algo assim.

Então, olho para ele, que sorri um pouco. Vejo um resquício de pena em seu sorriso, mas não tanto quanto pensei que veria.

— Se eu fosse você, também não iria querer revelar o meu nome para as pessoas. Venha, vamos arrumar alguma coisa pra comer.

+ + +

Ao chegarmos ao refeitório, Amah me guia até a mesa dos iniciandos. Alguns membros da Audácia já estão sentados ao redor, de olho no outro lado do salão, de onde chefs com piercings e tatuagens ainda trazem a comida. O refeitório é uma caverna iluminada por luzes azul-esbranquiçadas que conferem a tudo um brilho misterioso.

Sento-me em uma das cadeiras vazias.

— Nossa, Careta. Você parece prestes a desmaiar — diz Eric, e um dos garotos da Franqueza abre um sorriso.

— Todos vocês saíram vivos — diz Amah. — Parabéns. Vocês sobreviveram ao primeiro dia de iniciação, com níveis diferentes de sucesso. — Ele olha para Eric. — Mas nenhum de vocês se saiu tão bem quanto Quatro aqui.

Ele aponta para mim ao falar. Franzo a testa. Quatro? Ele está se referindo aos meus medos?

— Ei, Tori — grita Amah por cima do ombro. — Você já ouviu falar em alguém que tenha apenas quatro medos na paisagem do medo?

— Pelo que sei, o recorde era sete ou oito. Por quê? — grita Tori de volta.

— Tenho um transferido aqui com apenas quatro medos. Tori aponta para mim, e Amah assente.
— É um novo recorde — comenta ela.
— Muito bem — diz Amah pra mim. Depois, ele se vira e caminha até a mesa de Tori.

Todos os outros iniciandos me encaram de olhos arregalados, em silêncio. Antes da paisagem do medo, eu era apenas alguém em quem eles podiam pisar em seu caminho para entrar na Audácia. Agora, sou como Eric. Alguém em quem eles precisam ficar de olho, ou talvez até temer.

Amah me deu mais do que um novo nome. Ele me deu poder.

— Qual é o seu nome verdadeiro mesmo? Começa com *E...?* — pergunta Eric com os olhos semicerrados. Como se ele soubesse algo, mas não tivesse certeza sobre o momento certo para compartilhar a informação.

Os outros talvez também tenham uma vaga lembrança do meu nome, da Cerimônia de Escolha, assim como eu tenho dos deles, apenas como letras do alfabeto enterradas sob uma névoa de nervosismo enquanto eu esperava a minha vez. Se eu causar impacto agora, o máximo que conseguir, e me tornar tão memorável como alguém da Audácia, talvez consiga me salvar.

Hesito por um instante, depois apoio os cotovelos na mesa e ergo uma sobrancelha ao olhar para ele.

— Meu nome é Quatro. Se você me chamar de 'Careta' mais uma vez, nós dois teremos um problema.

Ele revira os olhos, mas sei que fui bastante claro. Tenho um novo nome, e isso significa que posso ser uma nova pessoa. Alguém que não aceita comentários agressivos de sabichões da Erudição. Alguém que sabe ser agressivo de volta.

Alguém, enfim, pronto para lutar.

Quatro.

A INICIAÇÃO

A SALA DE treinamento cheira a esforço físico, com o odor de suor, poeira e sapatos. Sempre que meu punho atinge o saco de pancada, sinto uma pontada de dor nas juntas dos dedos, cobertas de machucados depois de uma semana de lutas na Audácia.

— Parece que você já viu o mural — diz Amah, encostando-se no batente da porta. Ele cruza os braços. — E sabe que enfrentará Eric amanhã. Caso contrário, você estaria na paisagem do medo, e não aqui.

— Também venho aqui de vez em quando — digo, afastando-me do saco de pancada e sacudindo as mãos. Às vezes, fecho os punhos com tanta força que começo a perder a sensibilidade nas pontas dos dedos.

Quase perdi a minha primeira luta contra a garota da Amizade, Mia. Não sabia como derrotá-la sem bater nela, e não consegui bater nela. Pelo menos não até ela me prender em um mata leão e a minha visão começar a escurecer. Reagi por instinto, e uma única cotovelada no queixo a derrubou. Ainda sinto a culpa dentro de mim quando penso sobre isso.

Também quase perdi a segunda luta, contra o maior garoto da Franqueza, Sean. Eu o cansei, levantando sempre que ele pensava ter me derrotado. Ele não sabia que superar a dor é um dos meus hábitos mais antigos, que aprendi bem cedo, como roer a unha do dedão ou segurar o garfo com a mão esquerda em vez de fazê-lo com a direita. Agora, meu rosto está todo roxo e cortado, mas provei do que sou capaz.

Amanhã, meu adversário será Eric. Para derrotá-lo, precisarei de mais do que um golpe esperto, ou de persistência. Precisarei de habilidades que não tenho, de uma força que ainda não conquistei.

— É, eu sei — responde Amah com uma risada. — Sabe, passo muito tempo tentando entender qual é a sua, então comecei a perguntar para as pessoas. Descobri que você vem aqui toda manhã, e vai à sala da paisagem do medo toda noite. Você nunca passa tempo com os outros iniciandos. Está sempre exausto e dorme como uma pedra.

Uma gota de suor escorre pela minha nuca. Enxugo-a com os dedos enfaixados, depois limpo a testa com o braço.

— Juntar-se a uma facção não é só passar da iniciação, sabia? — diz Amah, enganchando os dedos na corrente que sustenta o saco de pancada, testando a sua resistência. — A maioria dos membros da Audácia conhece os seus melhores amigos durante a iniciação, assim como suas namoradas, namorados, seja o que for. Os inimigos também. Mas você parece determinado a não ter nenhuma dessas coisas.

Já vi os outros iniciando juntos, fazendo piercings juntos e aparecendo para o treinamento com narizes, orelhas e lábios vermelhos e perfurados ou construindo torres de restos de comida sobre a mesa do café da manhã. Nunca pensei que poderia ser um deles, ou que deveria tentar ser.

Dou de ombros.

— Estou acostumado a ficar sozinho.

— Bem, parece que você está prestes a estourar, e não quero estar por perto quando isso acontecer — diz ele. — Vamos lá. Alguns de nós vamos jogar hoje à noite. Um jogo da Audácia.

Cutuco o esparadrapo que cobre uma das juntas dos meus dedos. Eu não deveria sair para jogar. Deveria ficar aqui treinando e depois ir dormir, para estar preparado para a luta amanhã.

Mas aquela voz, a que diz "deveria", soa como a do meu pai, exigindo que eu me comporte, que eu me isole. E vim aqui porque estava pronto para *parar* de ouvir aquela voz.

— Estou oferecendo a você um pouco de status da Audácia só porque sinto pena de você — diz ele. — Não seja idiota de desperdiçar essa oportunidade.

— Está bem — respondo. — Qual é o jogo?

Amah apenas sorri.

+ + +

— O nome do jogo é Desafio.

Uma garota da Audácia, Lauren, está segurando a barra na lateral do vagão, mas não para de se balançar e quase cai para fora do trem, depois começa a rir e puxa o corpo para dentro, como se os trilhos não estivessem suspensos dois andares acima da rua e ela não fosse quebrar o pescoço se caísse.

Na outra mão, ela segura um cantil prateado, o que explica muita coisa.

Ela inclina a cabeça.

— O primeiro participante escolhe uma pessoa e a desafia a fazer alguma coisa. Depois, a pessoa toma um trago, cumpre o desafio e ganha a chance de desafiar outra pessoa a fazer outra coisa. Quando todos já tiverem cumprido seus desafios, ou morrido tentando, ficamos um pouco bêbados e tropeçamos de volta para casa.

— Como é que se vence? — grita um dos garotos da Audácia do outro lado do vagão. Ele está sentado de maneira desleixada, encostado contra Amah, como se eles fossem velhos amigos ou irmãos.

Não sou o único iniciando no vagão. Zeke, o que saltou primeiro, está sentado de frente para mim, junto com uma garota de cabelo castanho com uma franja reta sobre a testa e um piercing no lábio. Os outros são mais velhos, todos membros da Audácia. Parecem tranquilos, recostados uns nos outros, socando os braços uns dos outros, bagunçando os cabelos uns dos outros. O que vejo é camaradagem, amizade e flerte, e nada disso parece familiar para mim. Tento relaxar e envolvo os joelhos com os braços.

Realmente sou um Careta.

— Você vence se não for um maricote — diz Lauren. — Aliás, acabei de inventar uma nova regra: você também vence quando não faz perguntas idiotas. — Eu serei a primeira, porque sou a detentora do álcool — diz ela. — Amah, eu desafio você a entrar na biblioteca da Erudição enquanto os Narizes estão estudando e gritar algo obsceno.

Ela fecha a tampa do cantil e o joga para ele. Todos comemoram quando Amah bebe um gole do líquido.

— É só me avisar quando chegarmos na parada certa! — grita ele, sob o regozijo geral.

Zeke acena para mim.

— Ei, você é um transferido, não é? Quatro?

— Isso mesmo — respondo. — Você mandou bem no primeiro salto.

Percebo, tarde demais, que talvez ele não goste muito de ser lembrado disso, do seu momento de triunfo roubado por um tropeço e a perda de equilíbrio. Mas ele apenas ri.

— É, não foi o meu melhor momento.

— Bem, ninguém mais se ofereceu — comenta a garota ao seu lado. — Meu nome é Shauna, aliás. É verdade que você só tem quatro medos?

— É por isso que me deram esse nome — digo.

— Nossa! — Ela acena com a cabeça. Parece impressionada, e isso me faz ajeitar o corpo. — Acho que você já nasceu com sangue da Audácia.

Dou de ombros, como se o que ela disse pudesse ser verdade, apesar de eu saber que não é. Ela não sabe que o que me trouxe aqui foi a vontade de escapar da vida à qual fui designado, que estou me esforçando ao máximo para passar pela iniciação só pra não precisar admitir que sou um impostor. Nascido na Abnegação, com a Abnegação como resultado, em um refúgio da Audácia.

Os cantos da boca dela murcham, como se ela estivesse triste por algum motivo, mas não pergunto qual o problema.

— Como estão indo as suas lutas? — pergunta Zeke.

— Nada mal — digo. Indico o meu rosto ferido. — Como vocês podem ver.

— Olha só. — Zeke vira a cabeça, mostrando-me um grande hematoma na lateral inferior da mandíbula. — Graças a esta garota aqui.

Ele aponta para Shauna com o dedão.

— Ele me derrotou — diz Shauna. — Mas acertei um bom soco, pelo menos uma vez na vida. Eu sempre perco.

— Não se importa de ele ter batido em você? — pergunto.

— Por que me importaria?

— Não sei — respondo. — Porque... você é uma garota?

Ela ergue as sobrancelhas.

— Como assim? Você acha que não sou capaz de aguentar o tranco como todos os outros iniciandos só porque tenho peitos? — Ela aponta para o busto, e me pego encarando-o, apenas por um segundo, antes de me lembrar de desviar o olhar, com o rosto corado.

— Desculpe — digo. — Não foi o que eu quis dizer. É só que não estou acostumado com isso. Com nada disso.

— Claro, eu entendo — diz ela, sem parecer irritada. — Mas é melhor você saber uma coisa sobre a Audácia: aqui, não importa se você é garota, garoto ou o que quer que seja. O que importa é se você tem coragem ou não.

De repente, Amah se levanta, posicionando as mãos no quadril em uma pose dramática, e marcha em direção à porta aberta. O trem começa a descer, mas Amah não se segura em nada, apenas se move e balança junto com o movimento do vagão. Todos se levantam, e Amah é o primeiro a saltar, lançando-se para dentro da noite. Os outros saltam depois dele, e deixo que as pessoas atrás de mim me empurrem até a porta. Não tenho medo da velocidade do trem, só da altura, mas o trem agora está perto do chão; então, quando salto, não sinto medo. Caio em pé, tropeçando um pouco antes de parar.

— Veja só, você já está pegando o jeito de saltar do trem — diz Amah, me dando uma cotovelada. — Tome, dê um gole. Você parece estar precisando.

Ele me oferece o cantil.

Nunca provei álcool. Os integrantes da Abnegação não bebem, e, por isso, eu nem tinha acesso a álcool. Mas já vi como as pessoas parecem se sentir à vontade quando bebem, e quero desesperadamente parar de me sentir desconfortável, então nem hesito: aceito o cantil e bebo.

O álcool queima a minha garganta e tem gosto de remédio, mas desce rápido, aquecendo-me.

— Bom trabalho — diz Amah, aproximando-se de Zeke e passando o braço ao redor do seu pescoço, depois puxando a cabeça dele para junto do peito. — Vejo que você conheceu o meu jovem amigo Ezekiel.

— Só porque a minha mãe me chama assim não significa que você precisa me chamar desse jeito — diz Zeke, desvencilhando-se de Amah. Ele olha para mim. — Os avós de Amah eram amigos dos meus pais.

— Eram?

— Bem, o meu pai morreu, e os avós dele também — explica Zeke.

— E os seus pais? — pergunto a Amah.

Ele dá de ombros.

— Eles morreram quando eu era pequeno. Em um acidente de trem. Muito triste. — Ele sorri, como se não fosse tão triste. — E meus avós deram o salto depois que me tornei membro oficial da Audácia.

Ele faz um gesto com a mão, sugerindo um mergulho.

— O salto?

— Ah, não conte a ele enquanto eu estiver aqui — diz Zeke, balançando a cabeça. — Não quero ver a cara dele.

Amah não lhe dá ouvidos.

— Os membros idosos da Audácia às vezes dão um salto para o desconhecido no Abismo quando chegam a certa idade. A única opção que têm é se tornarem sem-facção — conta Amah. — O meu avô estava muito doente. Câncer. Minha avó não queria seguir em frente sem ele.

Ele inclina a cabeça para trás e olha para o céu, e seus olhos refletem o luar. Por um instante, sinto que ele está me mostrando um lado secreto de si, cuidadosamente escondido sob camadas de charme, humor e bravata da Audácia, e isso me assusta, porque esse lado secreto é duro, frio e triste.

— Lamento — digo.

— Pelo menos, assim, consegui dizer adeus a eles — diz Amah. — Na maioria das vezes, a morte simplesmente chega, mesmo que você não tenha se despedido.

O lado secreto dele desaparece com um rápido sorriso, e Amah corre para alcançar o resto do grupo, com o cantil na mão. Fico para trás com Zeke. Ele caminha ao meu lado, desajeitado e gracioso ao mesmo tempo, como um cão selvagem.

— E você? — pergunta Zeke. — Você tem família?

— Um pai — respondo. — Minha mãe morreu há muito tempo.

Lembro-me do funeral, com os membros da Abnegação enchendo a nossa casa com seus sussurros, acompanhando-nos no nosso luto. Eles nos levaram refeições em bandejas de metal cobertas com papel-alumínio, limparam a nossa cozinha e encaixotaram todas as roupas da minha mãe para nós, até que não sobrasse mais nenhum resquício dela. Lembro-me deles murmurando que ela morreu por causa de complicações ao parir outra criança. Mas tenho uma lembrança dela, alguns meses antes da sua morte, diante da sua cômoda, abotoando a segunda camisa, larga sobre a mais justa de baixo, com a barriga reta. Balanço um pouco a cabeça, afastando a memória. Ela está morta. É uma lembrança infantil e não confiável.

— E o seu pai, aceitou a sua escolha? — pergunta ele. — O Dia da Visita está chegando, sabia?

— Não — respondo, distante. — Ele não aceitou nem um pouco.

Meu pai não virá no Dia da Visita. Tenho certeza. Ele nunca mais falará comigo.

O setor da Erudição é mais limpo do que qualquer outra parte da cidade, com cada pedaço de lixo e destroço varrido da calçada, cada rachadura na rua coberta de asfalto. Sinto que preciso pisar com cuidado para não arranhar a calçada com meus tênis. Os outros membros da Audácia caminham com desleixo, e as solas dos seus sapatos estalam no chão como o barulho de chuva.

As sedes das facções podem deixar as luzes acesas em seus saguões à meia-noite, mas todas as outras luzes precisam estar apagadas. Aqui, no setor da Erudição, cada edifício que compõe a sede é como um pilar de luz. As janelas pelas quais passamos mostram membros da Erudição sentados ao redor de mesas longas, com os narizes enfiados em livros e monitores, ou conversando em voz baixa entre si. Os jovens e os velhos se misturam em todas as mesas, vestindo impecáveis roupas azuis, com os cabelos arrumados, e mais da metade deles usa óculos brilhantes. *Vaidade*, diria o meu pai. *Eles se preocupam tanto em parecer inteligentes que se tornam tolos.*

Paro e os observo um pouco. Eles não me parecem vaidosos. Eles me parecem pessoas se esforçando ao máximo para se sentirem tão espertas quanto devem ser. Se isso significa usar óculos sem precisar, quem sou eu para julgá-los? Eles são um refúgio que eu poderia ter escolhido. Mas acabei escolhendo o refúgio que caçoa deles através das janelas e que manda Amah para dentro do saguão para causar confusão.

Amah alcança a porta do edifício central da Erudição e entra. Assistimos do lado de fora, dando risadinhas. Olho lá para dentro e vejo um retrato de Jeanine Matthews pendurado na parede à frente. Seu cabelo loiro está bem preso em um rabo de cavalo alto, e a jaqueta azul foi abotoada até a garganta. Ela é bonita, mas essa não foi a primeira coisa que notei no retrato. A primeira coisa que notei foi a sua argúcia.

Além disso, talvez seja só a minha imaginação, mas será que ela parece um pouco assustada?

Amah entra correndo no saguão, ignorando os protestos do pessoal da Erudição na recepção, e grita:

— Ei, Narizes! Olhem isso!

Os membros da Erudição no saguão levantam as cabeças em frente aos livros e monitores, e todos da Audácia caem na gargalhada quando Amah se vira e mostra a bunda para eles. Os membros da Erudição atrás da recepção dão a volta e correm para prendê-lo, mas Amah levanta as calças e corre na nossa direção. Todos começamos a fugir.

Não consigo resistir. Também estou rindo, e fico surpreso com isso, com a maneira como a minha barriga dói de tanto rir. Zeke corre ao meu lado, e seguimos em direção aos trilhos, porque não há mais para onde correr. Os membros da Erudição que nos perseguem desistem depois de uma quadra, e todos paramos em um beco, encostando-nos nos tijolos para recobrar o fôlego.

Amah é o último a chegar, com as mãos levantadas, e nós o aplaudimos. Ele levanta o cantil como um troféu e aponta para Shauna.

— Jovem — diz ele. — Eu a desafio a escalar a escultura na frente do edifício dos Níveis Superiores.

Shauna pega o cantil quando ele o arremessa e toma um trago.

— Sem problema — diz ela, sorrindo.

+ + +

Quando finalmente chega a minha vez, todos estão bêbados, trôpegos e rindo de todas as piadas, mesmo as mais idiotas. Sinto-me quente apesar do ar frio, mas minha mente ainda está alerta, absorvendo todos os detalhes da noite: o forte odor de mangue e o som das risadinhas, o azul-escuro do céu e a silhueta de cada edifício contra ele. Minhas pernas estão doendo de tanto correr, andar e escalar, e ainda nem cumpri meu desafio.

Agora, estamos perto da sede da Audácia. Os edifícios estão em decadência.

— Quem ainda não foi? — pergunta Lauren. Seus olhos examinam todo o grupo até me encontrarem. — Ah, o iniciando de nome numérico da Abnegação. Quatro, certo?

— Isso mesmo.

— Um Careta? — O garoto que estava sentado tão confortavelmente ao lado de Amah olha para mim, atropelando as palavras. É ele quem está com o cantil e determinará o próximo desafio. Até agora, já vi pessoas escalando estruturas altas, saltando para dentro de buracos escuros e entrando em edifícios vazios para buscar uma torneira ou uma cadeira, vi pessoas correndo peladas por becos e enfiando agulhas nos lóbulos das orelhas sem qualquer anestesia. Se eu tivesse que bolar um desafio, não conseguiria pensar em nada. Ainda bem que sou o último.

Sinto um tremor no peito, nos nervos. O que ele exigirá que eu faça?

— Os Caretas são muito certinhos — diz o garoto, como se isso fosse um fato. — Então, para provar que você realmente pertence à Audácia agora... eu o desafio a fazer uma tatuagem.

Vejo a tinta nas peles deles, subindo por seus punhos, braços, ombros e pescoços. Tachas de metal atravessam orelhas, narizes, lábios e sobrancelhas. Minha pele está em branco, curada, inteira. Mas ela não combina com a pessoa que sou. Eu deveria ter cicatrizes, ser marcado como eles são, mas marcado com memórias de dor, com cicatrizes das coisas às quais sobrevivi.

Dou de ombros.

— Está bem.

Ele me joga o cantil, e eu o esvazio, apesar de o líquido queimar a minha garganta e os meus lábios e ser amargo como veneno.

Seguimos em direção à Pira.

+ + +

Tori está vestindo uma cueca masculina e uma camiseta quando abre a porta, o seu cabelo caído sobre o lado esquerdo do rosto. Ela levanta uma sobrancelha ao olhar pra mim. Obviamente a acordamos de um sono profundo, mas ela não parece irritada, apenas um pouco ranzinza.

— Por favor? — pede Amah. — É para o jogo de Desafio.

— Você tem certeza de que quer uma mulher com sono fazendo a sua tatuagem, Quatro? Esse não é o tipo de tinta que sai no banho — diz ela.

— Confio em você — respondo.

Não vou fugir do desafio. Não depois de ver todos cumprirem os seus.

— Está bem. — Tori boceja. — Faço qualquer coisa pela tradição da Audácia. Já volto. Vou vestir umas calças.

Ela sai e fecha a porta. No caminho até aqui, fiquei pensando no que gostaria de tatuar e onde. Não consegui decidir. Meus pensamentos estavam embaçados demais. Aliás, eles ainda estão.

Alguns segundos depois, Tori reaparece vestindo calças, mas ainda sem nada nos pés.

— Se eu me encrencar por ter acendido as luzes a esta hora, vou dizer que foi culpa de vândalos e entregarei os seus nomes — ameaça ela.

— Entendi — digo.

— Tem uma porta nos fundos. Venham — diz ela, indicando que devemos segui-la. Eu a sigo por sua sala de estar escura, que é arrumada, exceto pelas folhas espalhadas pela mesa de centro, cada uma marcada com um desenho diferente. Alguns são grosseiros e simples, como a maioria das tatuagens que vi por aqui, mas outros são mais complexos, detalhados. Tori deve ser o mais próximo que existe de um artista dentro da Audácia.

Paro diante da mesa. Uma das páginas retrata todos os símbolos das facções, sem os círculos que costumam enquadrá-los. A árvore da Amizade está na parte inferior, formando um tipo de sistema de raízes para o olho da Erudição e para a balança da Franqueza. Sobre eles, as mãos da Abnegação parecem quase aninhar as chamas da Audácia. É como se os símbolos estivessem se entremeando uns com os outros.

Os outros já passaram por mim. Corro para alcançá-los, atravessando a cozinha de Tori, que também é muito arrumada, embora os equipamentos sejam velhos, a torneira esteja enferrujada e a porta da geladeira, presa por um grande grampo. A porta nos fundos da cozinha está aberta e leva a um corredor curto e úmido, que vai dar no estúdio de tatuagem.

Já passei por ele algumas vezes, mas não me interessei em entrar, pois tinha certeza de que nunca teria uma boa razão para agredir o meu próprio corpo com agulhas. Agora, parece que tenho uma razão. As agulhas serão uma forma de me separar do passado, não apenas aos olhos dos outros membros da Audácia, mas também aos meus próprios olhos cada vez que eu olhar para o meu reflexo.

As paredes do estúdio estão cobertas de desenhos. A parede ao lado da porta é inteiramente dedicada a símbolos da Audácia, alguns pretos e simples, outros coloridos e quase irreconhecíveis. Tori acende a luz sobre uma das cadeiras e arruma as agulhas de tatuagem em uma bandeja ao seu lado. Os outros membros da Audácia se reúnem em bancos e cadeiras ao nosso redor, como se estivessem se preparando para assistir a algum tipo de performance. Meu rosto esquenta.

— Princípios básicos da tatuagem — diz Tori. — Quanto menos enchimento houver sob a pele, ou quanto mais ossudo você for em uma área em particular, mais a tatuagem doerá. Já que é a sua primeira vez, é melhor fazer a tatuagem, não sei, no braço ou...

— Na nádega — sugere Zeke com uma risadinha debochada.

Tori dá de ombros.

— Não seria a primeira vez. Nem a última.

Olho para o garoto que me desafiou. Ele ergue as sobrancelhas ao olhar para mim. Sei o que ele espera, o que todos eles esperam: que eu faça algo pequeno, no braço ou na perna, algo que eu consiga facilmente esconder. Olho para a parede com todos os símbolos. Um dos desenhos chama a minha atenção em especial: uma interpretação artística das chamas.

— Aquele — digo, apontando para o desenho.

— Certo — diz Tori. — Tem alguma ideia de onde vai fazer?

Tenho uma cicatriz, uma pequena cavidade no joelho, de uma vez que tropecei na calçada quando criança. Sempre me pareceu idiota o fato de que a dor pela qual passei não deixou uma marca visível; às vezes, como não tinha um meio de prová-la para mim mesmo, eu começava a duvidar de que passara por tudo aquilo, e as lembranças se tornavam nebulosas com o tempo. Quero carregar algo que me lembre de que, embora as feridas cicatrizem, elas não somem pra sempre. Eu as carrego para todo lugar a que vou, sempre, e é assim que as coisas são, assim que as cicatrizes são.

Essa tatuagem será isto pra mim: uma cicatriz. E parece fazer sentido que ela documente a pior memória de dor que tenho.

Apoio a mão nas costelas, lembrando-me de antigos hematomas e do medo que senti de morrer. Meu pai teve uma série de noites ruins logo após a morte da minha mãe.

— Você tem certeza? — pergunta Tori. — Esse talvez seja o local onde dói mais.

— Ótimo — digo, sentando-me na cadeira.

O grupo de membros da Audácia comemora e começa a passar de mão em mão um cantil ainda maior do que o anterior, e bronze em vez de prateado.

— Parece que temos um masoquista na mesa hoje. Maravilha. — Tori senta-se no banco ao meu lado e coloca um par de luvas de borracha. Inclino o tronco para a frente, erguendo a bainha da camisa, e ela molha um chumaço de algodão no álcool, depois o passa nas minhas costelas. Ela está prestes a se afastar quando franze a testa e puxa a minha pele com a ponta do dedo. O álcool queima a pele das minhas costas, que ainda está sarando, e eu contraio o rosto.

— Como isto aconteceu, Quatro? — pergunta ela.

Levanto o rosto e percebo que Amah está me encarando, franzindo a testa.

— Ele é um iniciando — diz Amah. — A esta altura, *todos* eles estão cobertos de cortes e hematomas. Você deveria ver como eles andam juntos, todos mancando. É uma cena triste.

— Estou com um machucado enorme no joelho — comenta Zeke. — Ele tem uma cor azul nojenta...

Zeke levanta a perna da calça para exibir o hematoma para os outros, e todos começam a exibir suas próprias feridas e cicatrizes.

— Arrumei este quando eles me *derrubaram*, depois da tirolesa.

— Bem, eu levei uma facada quando você errou o lançamento da faca, então acho que estamos quites.

Tori me encara por alguns segundos, e tenho certeza de que ela não aceitou a explicação de Amah para as marcas nas minhas costas, mas não insiste na questão. Ela apenas liga a agulha, enchendo o ar com um zumbido, e Amah joga o cantil para mim.

O álcool ainda queima a minha garganta quando a agulha toca a minha costela, e eu contraio o rosto, mas, de alguma maneira, não ligo para a dor.

Eu a saboreio.

+ + +

No dia seguinte, quando acordo, tudo dói. Especialmente a minha cabeça.

Meu Deus, a minha cabeça.

Eric está sentado na ponta do colchão ao lado do meu, amarrando os cadarços do sapato. A pele ao redor dos anéis em seu lábio está vermelha. Ele deve ter feito os piercings recentemente. Não tenho prestado muita atenção.

Ele olha para mim.

— Você está com uma cara péssima — diz ele.

Eu me levanto, e o movimento brusco faz minha cabeça latejar ainda mais.

— Espero que não use isso como desculpa quando perder a luta — diz ele com um risinho debochado. — Porque eu venceria de qualquer maneira.

Ele levanta, se espreguiça e deixa o dormitório. Apoio a cabeça nas mãos por alguns segundos, depois levanto para tomar banho. Preciso manter metade do corpo fora da água por causa da tatuagem na área das costelas. Os membros da Audácia passaram horas comigo, esperando a tatuagem ficar pronta, e, quando finalmente fomos embora, havíamos esvaziado todos os cantis. Tori fez um sinal de positivo com o dedo quando deixei o estúdio de tatuagem, trôpego, e Zeke apoiou o braço nos meus ombros e disse:

— Acho que você é da Audácia agora.

Ontem à noite, saboreei aquelas palavras. Agora, queria ter a minha velha cabeça de volta, a que era focada e obstinada, que não parecia ser o lar de pequenos homenzinhos com martelos. Deixo a água gelada escorrer sobre mim por mais alguns minutos, depois confiro o relógio na parede do banheiro.

Faltam dez minutos para a luta. Vou me atrasar. E Eric tem razão. Vou perder.

Aperto a mão contra a testa e corro até a sala de treinamento com metade dos pés para fora dos sapatos. Quando atravesso a porta, os iniciandos transferidos e alguns dos nascidos na Audácia estão em pé no canto da sala. Amah está no centro da arena, conferindo o relógio. Ele me encara com um olhar de reprovação.

— Que bom que você resolveu dar o ar de sua graça — debocha ele. Percebo, pela maneira como ele ergue as sobrancelhas, que a camaradagem da noite anterior não se estenderá para a sala de treinamento. Ele aponta para os meus tênis. — Amarre os cadarços e pare de me fazer perder tempo.

Do outro lado da arena, Eric estala as juntas dos dedos das mãos, uma a uma, cuidadosamente, sem parar de me encarar. Amarro os cadarços correndo e enfio as pontas dentro dos sapatos para que não me atrapalhem.

Ao encarar Eric, só consigo sentir o bater do meu coração, o latejar da minha cabeça, a queimação nas minhas costelas. Então Amah dá um passo para trás, e Eric corre na minha direção, rápido, atingindo a minha mandíbula em cheio com o punho.

Tropeço para trás, levando as mãos ao rosto. Toda a dor se mistura na minha mente. Levanto as mãos para bloquear o soco seguinte. Minha cabeça lateja, e vejo sua perna se mover. Tento girar o corpo e desviar do chute, mas seu pé atinge a minha costela com força. Sinto como se um choque elétrico atravessasse o lado esquerdo do meu corpo.

— Isto é mais fácil do que eu esperava — comenta Eric.

O sentimento de vergonha esquenta o meu corpo, e, na abertura arrogante que ele deixa para mim, desfiro um gancho na sua barriga.

A palma da mão dele atinge a minha orelha, fazendo-a zunir, e perco o equilíbrio, tocando o chão para não cair.

— Sabe — diz Eric baixinho —, acho que descobri o seu verdadeiro nome.

Meus olhos estão embaçados por meia dúzia de dores diferentes. Não sabia que ela podia vir em tantas variedades, como sabores, ácido, fogo, dor e pontada.

Ele avança outra vez, tentando me acertar no rosto, mas atingindo minha clavícula. Eric sacode a mão e diz:

— Será que conto para eles? Será que revelo o seu segredo?

Ele tem meu nome entre os dentes, *Eaton*, uma arma bem mais ameaçadora do que os seus pés, cotovelos ou punhos. Os membros da Abnegação costumam dizer, em sussurros, que o problema de muitos da Erudição é o egoísmo, mas, para mim, é a arrogância, o orgulho que sentem em saber coisas que as outras pessoas ignoram. Naquele momento, sobrepujado pelo medo, reconheço isso como a fraqueza de Eric. Ele não acredita que eu possa feri-lo tanto quanto ele pode me ferir. Ele acha que eu sou tudo o que imaginou que eu era quando me conheceu: humilde, altruísta e passivo.

Sinto minha dor desaparecer, dando lugar à ira, e seguro seu braço para imobilizá-lo enquanto o golpeio, uma, duas, três vezes. Nem vejo onde estou atingindo; não vejo, sinto nem ouço nada. Estou vazio, sozinho; nada.

Então finalmente ouço seus gritos e vejo-o cobrir o rosto com as mãos. O sangue encharca seu queixo e corre entre seus dentes. Ele tenta se soltar, mas estou segurando seu braço com toda a força, como se minha vida dependesse disso.

Chuto sua costela com força, e ele desaba. Encontro seus olhos sob as mãos que cobrem o rosto.

Eles estão desfocados, vazios. O sangue brilha em sua pele. Ocorre-me que fui eu que fiz aquilo, fui eu, e o medo volta a me invadir, só que, desta vez, é um medo diferente. Um medo do que eu sou, daquilo em que posso estar me transformando.

As juntas dos meus dedos latejam, e deixo a arena sem ser liberado.

+ + +

O complexo da Audácia é um bom lugar para se recuperar, escuro e cheio de lugares secretos e silenciosos.

Encontro um corredor perto do Fosso e sento recostado na parede, deixando que o frio da pedra escorra para dentro de mim. A dor de cabeça voltou, junto com várias outras causadas pela luta, mas quase não as percebo. As juntas dos meus dedos estão grudentas de sangue, o sangue de Eric. Tento limpá-lo, mas já está seco. Venci a luta, e isso significa que minha posição na Audácia está segura por enquanto. Eu deveria estar satisfeito, e não com medo. Talvez até feliz por finalmente pertencer a um lugar, por estar entre pessoas cujos olhos não se desviam dos meus na mesa de jantar. Mas sei que, para tudo de bom que acontece, há um preço. Qual será o preço de ser da Audácia?

— Ei. — Levanto a cabeça e vejo Shauna batendo na parede de pedra, como se ela fosse uma porta. Ela sorri. — Esta não é exatamente a dança da vitória que eu esperava.

— Eu não danço — respondo.

— É, eu deveria ter adivinhado. — Ela se senta de frente pra mim, recostando-se na outra parede do corredor. Leva os joelhos ao peito e os abraça. Nossos pés estão a poucos centímetros de distância. Não sei por que noto isso. Bem, sei sim. Ela é uma menina.

Não sei conversar com meninas. Especialmente meninas da Audácia. Algo me diz que não há como saber o que esperar de uma menina da Audácia.

— Eric está no hospital — conta ela com um sorriso no rosto. — Eles acham que você quebrou o nariz dele. Com certeza um dente se foi.

Olho para o chão. Arranquei o dente de uma pessoa?

— Eu pensei que talvez você pudesse me ajudar — diz ela, cutucando o meu sapato com a ponta do pé.

Como suspeitei: as meninas da Audácia são imprevisíveis.

— Ajudar com o quê?

— A lutar. Não sou muito boa. Sempre sou humilhada na arena. — Ela balança a cabeça. — Terei que enfrentar uma garota em dois dias, o nome dela é Brenda, mas ela quer que todos a chamem de Brasa. — Shauna revira os olhos. — Sabe, as chamas da Audácia, *brasa*, tanto faz. De qualquer maneira, ela é uma das melhores do nosso grupo, e temo que ela vá me matar. Realmente me matar.

— Por que você quer a minha ajuda? — pergunto, de repente desconfiado. — Por que você sabe que sou um Careta e que devemos ajudar as pessoas?

— O quê? Não, é claro que não! — Ela franze as sobrancelhas, confusa. — Quero que você me ajude porque você é o melhor no *seu* grupo, é claro.

Solto uma risada.

— Não sou, não.
— Você e Eric eram os únicos invictos, e você acabou de derrotá-lo, então, você é o melhor, sim. Ouça, se você não quiser me ajudar, é só...
— Eu ajudarei. Só não sei exatamente como.
— Nós daremos um jeito. Que tal amanhã à tarde? Me encontra na arena?

Concordo com a cabeça. Ela sorri, se levanta e começa a ir embora. Mas, depois de alguns passos, ela se vira, voltando pelo corredor.

— Não fique tão amuado, Quatro — diz ela. — Todos estão impressionados com você. Aceite isso.

Vejo a silhueta dela desaparecer no final do corredor. Fiquei tão perturbado com a luta que nem parei pra pensar no que significa ter derrotado Eric: agora sou o primeiro na minha turma de iniciandos. Eu posso ter escolhido a Audácia como um refúgio, mas não estou apenas sobrevivendo aqui, estou me destacando.

Olho para o sangue de Eric nas juntas dos meus dedos e sorrio.

+ + +

Na manhã seguinte, decido assumir um risco. Sento com Zeke e Shauna na mesa de café da manhã. A única coisa que Shauna consegue fazer é ficar inclinada sobre a comida, respondendo perguntas com grunhidos. Zeke boceja enquanto toma café, mas me aponta os integrantes da sua família: seu irmão mais novo, Uriah, está sentado em uma das outras mesas com Lynn, a irmã mais nova de Shauna. Sua mãe, Hana, o membro da Audácia mais dócil que já vi, cuja facção só é identificável pela cor das roupas, ainda está na fila do café da manhã.

— Você sente saudade de morar em casa? — pergunto.

Já percebi que os membros da Audácia têm uma quedinha por doces. Há sempre pelo menos dois sabores de bolo no jantar e uma montanha de muffins numa mesa perto do final da fila do café da manhã. Quando foi a minha vez de pegar um, os melhores sabores já tinham acabado, então escolhi um de grãos.

— Não muito — responde ele. — Quer dizer, a minha família está bem ali. Os iniciandos nascidos na Audácia não devem conversar com seus familiares até o Dia da Visita, mas sei que, se eu realmente precisar de alguma coisa, eles estarão lá.

Concordo com a cabeça. Ao lado dele, Shauna fecha os olhos e cai no sono com o queixo apoiado na mão.

— E você? — pergunta ele. — Sente saudade de casa?

Estou prestes a responder que não, mas, de repente, o queixo de Shauna escorrega da mão, e ela cai de cara em seu muffin de chocolate. Zeke chora de tanto rir, e não consigo conter um sorriso ao terminar de tomar meu suco.

+ + +

Naquela mesma manhã, mais tarde, encontro Shauna na sala de treinamento. Seu cabelo curto está preso, e suas botas da Audácia, cujos cadarços costumam ficar desamarrados, agitando-se quando ela anda, agora estão bem atadas. Ela soca o ar, para entre cada soco a fim de ajustar a sua posição, e, por um momento, eu fico assistindo, sem saber por onde começar. Eu mesmo acabei de aprender como desferir um soco; não sou qualificado para ensinar nada a ela.

Mas, enquanto assisto, começo a reparar em certos detalhes. A maneira como ela se posiciona com os joelhos travados, como não levanta uma das mãos para proteger o queixo, a forma como soca usando o cotovelo em vez de projetar o peso do corpo em cada golpe. Ela para e enxuga a testa com as costas da mão. Ao notar minha presença, Shauna se sobressalta, como se tivesse tocado em um fio desencapado.

— A regra número um para não parecer um pervertido — diz ela — é anunciar a sua presença em um ambiente quando a outra pessoa não o viu entrar.

— Desculpe. Eu estava pensando em algumas dicas pra você.

— Ah. — Ela morde o lado de dentro da bochecha. — Que dicas?

Listo as coisas que notei, e depois nos enfrentamos na arena de luta. Começamos devagar, contendo cada golpe para não nos machucarmos. Preciso ficar cutucando o seu cotovelo com o punho para lembrá-la de proteger o rosto, mas, meia hora depois, ela pelo menos já está se movendo melhor do que antes.

— Essa garota com quem você terá que lutar amanhã. Eu a acertaria bem aqui, na mandíbula. — Encosto na parte interna da minha mandíbula. — Um bom gancho será o suficiente. Vamos praticar isso.

Ela ajeita o corpo, e noto satisfeito que seus joelhos estão levemente dobrados, e há certo bailado em sua postura que não existia antes. Movemo-nos um ao redor do outro por alguns segundos, e então ela dá um soco para cima. Ao fazê-lo, sua mão esquerda se afasta do rosto. Bloqueio o primeiro soco, depois aproveito a guarda aberta pra fazer uma investida. No último segundo, paro o punho no ar e ergo as sobrancelhas, encarando-a.

— Sabe, talvez eu aprendesse a minha lição se você me atingisse de verdade — diz ela, ajeitando o corpo. Sua pele está vermelha de cansaço, e o suor brilha na sua testa. Seus olhos estão brilhantes e críticos. Percebo, pela primeira vez, que ela é bonita. Não da maneira como penso em beleza em geral, macia e delicada, mas de uma forma forte e capaz.

— É melhor não.

— O que você acredita ser um tipo remanescente de cavalheirismo da Abnegação é, na verdade, meio insultante — diz ela. — Sei me proteger. Posso aguentar um pouco de dor.

— O problema não é esse. Não é só por você ser menina. É só que eu... não sou muito a favor de violência gratuita.

— É uma coisa de Careta, então?

— Na verdade, não. Os Caretas não gostam de nenhum tipo de violência. Se você colocar um Careta na Audácia, ele deixará que as pessoas o soquem o dia inteiro — digo, permitindo-me sorrir um pouco. Não estou acostumado a usar gírias da Audácia, mas é bom adotar essa linguagem como minha, permitir-me relaxar e assumir seus ritmos. — A questão é que pra mim isso não é um jogo.

É a primeira vez que expresso isso para alguém. Sei por que não me parece um jogo. Porque, por muito tempo, esta foi a minha realidade, era o que eu encarava ao acordar até a hora de dormir. Aqui, aprendi a me defender, aprendi a ser mais forte, mas há algo que não aprendi, que não me permitirei aprender, que é gostar de causar dor a alguém. Se vou me tornar um membro da Audácia, farei isso da minha maneira, mesmo significando que parte de mim continuará sendo Careta.

— Está bem — diz ela. — Vamos de novo.

Continuamos praticando até que ela domina a técnica do gancho, e quase perdemos a hora do jantar. Quando saímos da sala de treinamento, ela me agradece e, com naturalidade, coloca um braço ao redor do meu corpo. É apenas um abraço rápido, mas ela ri ao ver como fico tenso com isso.

— Como Ser Um Membro da Audácia: Aula Introdutória — diz ela. — Primeira Lição: aqui, não há problema nenhum em abraçar um amigo.

— Somos amigos? — pergunto, meio brincando.

— Ah, cala a boca — diz ela, depois corre pelo corredor, a caminho do dormitório.

+ + +

Na manhã seguinte, todos os iniciandos transferidos seguem Amah, passando direto pela sala de treinamento, até um corredor sinistro com uma porta pesada no final. Ele pede que nos sentemos encostados à parede, depois desaparece atrás da porta sem falar nada. Confiro o meu relógio. Shauna vai lutar a qualquer minuto. Os iniciandos nascidos na Audácia estão demorando mais do que nós para concluir a primeira etapa, porque estão em número maior.

Eric está sentado o mais longe possível de mim, e essa distância me agrada. Na noite seguinte à minha luta com ele, ocorreu-me que Eric talvez conte a todos que sou filho de Marcus Eaton apenas para se vingar de mim por tê-lo derrotado, mas ele ainda não fez isso. Será que está apenas esperando a hora certa, ou será que está se segurando por outro motivo? De qualquer forma, é melhor eu manter o máximo de distância dele.

— O que você acha que há lá dentro? — pergunta Mia, a menina transferida da Amizade, soando nervosa.

Ninguém responde. Por alguma razão, não me sinto nervoso. Não há nada atrás daquela porta capaz de me machucar. Por isso, quando Amah volta para o corredor e chama o meu nome primeiro, não olho para os outros iniciandos com um olhar de desespero. Apenas sigo-o para o outro lado da porta.

O recinto é escuro e sujo, e lá dentro há somente uma cadeira e um computador. A cadeira está reclinada, como a do teste de aptidão. A tela do computador é bastante brilhante, e ele roda um programa que se resume a linhas de texto escuro sobre um fundo branco. Quando eu era mais novo, trabalhava como voluntário na sala de computadores da escola, fazendo a manutenção das instalações e, às vezes, até consertando os computadores quando eles quebravam. Eu trabalhava sob a supervisão de uma mulher da Erudição chamada Katherine, e ela me ensinou muito mais do que precisava, satisfeita em compartilhar seu conhecimento com alguém disposto a ouvir. Por isso, sei, olhando para aquele código, que tipo de programa estou vendo, embora não seja capaz de fazer muita coisa com ele.

— Uma simulação? — pergunto.

— Quanto menos você souber, melhor — responde ele. — Sente-se.

Eu me sento, recosto-me na cadeira e apoio os braços nos descansos. Amah prepara uma seringa, levantando-a contra a luz para se certificar de que o frasco está posicionado no lugar certo. Ele enfia a agulha no meu pescoço sem qualquer aviso, apertando o êmbolo. Eu contraio o rosto.

— Vamos ver qual dos seus medos aparece primeiro — diz ele. — Sabe, já estou ficando meio entediado com eles. Você bem que poderia tentar mostrar algo novo.

— Vou dar o meu melhor.

A simulação me engole.

+ + +

Estou sentado em um banco duro de madeira, em uma mesa de jantar da Abnegação, com um prato vazio diante de mim. Todas as cortinas estão fechadas, e a única luz vem da lâmpada pendurada sobre a mesa, com seu filamento brilhando em um tom alaranjado. Olho para o tecido preto cobrindo o meu joelho. *Por que estou vestindo preto e não cinza?*

Quando levanto a cabeça, ele, Marcus, está sentado de frente para mim. Por um milésimo de segundo, ele é exatamente como o homem que vi do outro lado do salão na Cerimônia de Escolha, há não muito tempo, com olhos azul-escuros como os meus, a boca contraída numa expressão séria.

Estou de preto porque sou da Audácia agora, lembro a mim mesmo. *Então, por que estou em uma casa da Abnegação, sentado diante do meu pai?*

Vejo o contorno da lâmpada refletido no meu prato vazio. *Deve ser uma simulação*, penso.

De repente, a lâmpada acima de nós pisca, e ele se transforma no homem que sempre vejo na minha paisagem do medo, um monstro retorcido, com buracos no lugar dos olhos e uma boca enorme e vazia. Ele salta sobre a mesa com as mãos estendidas e, em vez de unhas, tem navalhas presas nas pontas dos dedos.

Ele tenta me golpear, e eu me jogo pra trás, caindo do banco. Tento recobrar o equilíbrio no chão, depois corro até a sala de estar. Há outro Marcus lá, perto da parede, estendendo o braço para me pegar. Procuro a porta da frente, mas alguém a selou com blocos de concreto, prendendo-me lá dentro.

Subo a escada correndo, arfando. No andar de cima, tropeço e caio estatelado no chão de madeira do corredor. Um Marcus abre a porta do armário, saindo lá de dentro; outro chega do quarto dos meus pais; outro ainda se arrasta pelo chão, vindo do banheiro. Encolho-me contra a parede. Não há janelas.

O lugar está cheio dele.

De repente, um dos Marcus para bem na minha frente, empurrando-me contra a parede, com as duas mãos ao redor do meu pescoço. Outro corre as unhas pelos meus braços, provocando uma dor lancinante que faz meus olhos lacrimejarem.

Estou paralisado, em pânico.

Engulo o ar. Não consigo gritar. Sinto dor e o batimento forte do meu coração, e chuto com o máximo de força possível, sem acertá-lo. O Marcus com as mãos no meu pescoço me empurra parede acima, e agora os dedos do meu pé mal alcançam o chão. Meus membros estão inertes como os de uma boneca de pano. Não consigo me mover.

Este lugar, este lugar está cheio dele. *Não é real*, percebo. *É uma simulação. É exatamente como a paisagem do medo.*

Agora, mais Marcus esperam abaixo de mim com as mãos estendidas, e, ao olhar para eles, tudo o que vejo é um mar de lâminas. Seus dedos tentam agarrar as minhas pernas, cortando-me, e sinto um calor na lateral do meu pescoço quando o Marcus que está me enforcando aperta mais forte.

Simulação, lembro a mim mesmo. Tento enviar vida para todos os meus membros. Imagino o meu sangue em chamas, espalhando-se por meu corpo. Bato com a mão na parede, procurando algum tipo de arma. Um dos Marcus estica o braço, com os dedos posicionados sobre os meus olhos. Solto um grito e começo a me debater enquanto as lâminas se cravam nas minhas pálpebras.

Minhas mãos não encontram uma arma, mas uma maçaneta. Eu a giro com força e caio dentro de outro armário. Os Marcus me soltam. No armário há uma janela por onde mal consigo passar. Enquanto eles me perseguem para dentro da escuridão, dou uma cotovelada no vidro, estilhaçando-o. O ar fresco enche os meus pulmões.

Endireito-me na cadeira, arfando.

Levo as mãos ao pescoço, aos meus braços, às minhas pernas, procurando feridas que não estão lá. Ainda consigo sentir os cortes e o sangue derramando das minhas veias, mas minha pele está ilesa.

Minha respiração desacelera, assim como meus pensamentos. Amah está sentado diante do computador, ligado à simulação, e me encara.

— O que foi? — pergunto, sem fôlego.

— Você passou cinco minutos lá — diz Amah.

— Isso é muito tempo?

— Não. — Ele franze a testa ao olhar para mim. — Não, certamente não é muito tempo. É muito bom, aliás.

Coloco os pés no chão e apoio a cabeça nas mãos. Talvez eu não tenha passado tanto tempo em pânico durante a simulação, mas a imagem deformada do meu pai tentando arrancar os meus olhos continua voltando à minha mente, fazendo o meu batimento cardíaco acelerar.

— O soro ainda está fazendo efeito? — pergunto, com os dentes cerrados. — Está me fazendo entrar em pânico?

— Não, ele deveria ter ficado inativo assim que você deixou a simulação — diz ele. — Por quê?

Balanço as mãos, que formigam como se estivessem ficando dormentes. Balanço a cabeça. *Não foi real*, digo a mim mesmo. *Esqueça.*

— Às vezes, a simulação causa um resquício de pânico, dependendo do que você vê dentro dela — diz Amah. — É melhor eu acompanhá-lo de volta ao dormitório.

— Não. — Balanço a cabeça. — Vou ficar bem.

Ele me encara com severidade.

— Não pedi a sua autorização. — Ele se levanta e abre uma porta atrás da cadeira. Sigo-o por um corredor curto e escuro, depois por corredores de pedra que levam ao dormitório dos iniciandos transferidos. O ar é gelado e úmido porque estamos no subterrâneo. Ouço o eco dos nossos passos e a minha própria respiração, nada mais.

Acho que vejo algo, um movimento, à minha esquerda, e retraio o corpo para me afastar, recuando na direção da parede. Amah me detém, pousando as mãos nos meus ombros e me forçando a olhar para o seu rosto.

— Ei. Controle-se, Quatro.

Concordo com a cabeça, e o calor invade o meu rosto. Sinto uma pontada profunda de vergonha no estômago. Eu deveria ser audaz. Eu não deveria temer que o monstro Marcus me ataque no escuro. Encosto-me à parede de pedra e respiro fundo.

— Posso perguntar uma coisa? — diz Amah. Eu me contraio, achando que ele vai perguntar sobre o meu pai, mas ele não faz isso. — Como você conseguiu sair daquele corredor?

— Eu abri uma porta — respondo.

— Havia uma porta atrás de você o tempo todo? Havia uma porta na sua antiga casa?

Balanço a cabeça.

O rosto de Amah, que costuma ser amigável, fica sério.

— Então, você criou uma porta do nada?

— Sim — respondo. — As simulações estão todas na nossa cabeça. Minha mente criou uma porta para que eu pudesse sair. Tudo o que precisei fazer foi me concentrar.

— Que estranho — diz ele.

— O quê? Por quê?

— A maioria dos iniciandos não é capaz de fazer algo impossível acontecer nessas simulações, porque, ao contrário das paisagens do medo, eles não são capazes de reconhecer que estão *dentro* de uma simulação — explica ele. — Por isso, eles não saem tão rápido delas.

Sinto o meu batimento cardíaco na garganta. Não percebi que essas simulações eram diferentes da paisagem do medo. Pensei que todos tivessem consciência da simulação quando estavam dentro dela. Mas, julgando pelo que Amah disse, elas são como o teste de aptidão, e, antes do meu teste de aptidão, meu pai me alertou sobre a consciência dentro da simulação, falando que eu deveria escondê-la. Ainda me lembro de como ele foi insistente, de como sua voz soou tensa e de como ele agarrou o meu braço um pouco forte demais.

Na época, pensei que ele nunca falaria comigo daquele jeito se não estivesse preocupado comigo. Preocupado com a minha segurança.

Ele estava apenas sendo paranoico, ou será que é perigoso estar consciente durante as simulações?

— Eu era como você — diz Amah baixinho. — Eu conseguia mudar as simulações. Mas pensava que era o único.

Quero pedir que ele não fale mais nada, que proteja seus próprios segredos. Mas as pessoas da Audácia não ligam para segredos da mesma forma que as da Abnegação, com seus sorrisos de lábios apertados e suas casas arrumadinhas e idênticas.

Amah está me olhando de uma maneira estranha, ansioso, como se esperasse algo de mim. Ajeito o corpo, desconfortável.

— Provavelmente não é algo do qual você deve se gabar — diz ele. — A Audácia busca a conformidade, assim como qualquer outra facção, apesar de isso não parecer tão óbvio aqui.

Concordo com a cabeça.

— Deve ser só uma falha — digo. — Não consegui fazer a mesma coisa no meu teste de aptidão. Na próxima vez, provavelmente serei mais normal.

— Certo. — Ele não soa convencido. — Bem, na próxima vez, tente não fazer nada impossível, está bem? Apenas encare o seu medo de maneira lógica, de um modo que sempre faça sentido para você, quer esteja consciente ou não.

— Tudo bem.

— Você está bem agora, não está? Consegue voltar para o dormitório sozinho?

Quero dizer que, desde o começo, eu poderia ter conseguido voltar ao dormitório sozinho; nunca precisei da ajuda dele para chegar lá. Mas apenas assinto de novo. Ele bate com a mão no meu ombro, bem-humorado, depois volta para a sala de simulação.

Não consigo deixar de pensar que meu pai não teria me alertado a não exibir a minha consciência na simulação apenas por normas de facção. Ele me dava broncas o tempo todo por envergonhá-lo na frente de membros da Abnegação, mas nunca sussurrou alertas nos meus ouvidos ou me ensinou como evitar passos em falso antes, assim como ele nunca havia me encarado, com os olhos arregalados, até eu prometer fazer o que ele disse.

É estranho saber que ele provavelmente estava tentando me proteger. Como se ele não fosse bem o monstro que imagino, que vejo nos meus piores pesadelos.

Quando volto a caminhar em direção ao dormitório, ouço algo no final do corredor pelo qual acabamos de passar, algo como pegadas silenciosas e apressadas, movendo-se na direção oposta.

+ + +

Shauna corre até mim no refeitório durante o jantar e acerta um soco forte no meu braço. O sorriso estampado em seu rosto é tão largo que dá a impressão de que vai cortar suas bochechas. Há um inchaço logo abaixo do seu olho direito. Vai ficar roxo mais tarde.

— Eu venci! — anuncia ela. — Fiz o que você disse. Acertei-a bem na mandíbula nos primeiros sessenta segundos e a deixei completamente desequilibrada. Ela ainda acertou o meu olho porque baixei a guarda, mas, depois disso, eu a espanquei. Ela está com o nariz sangrando. Foi incrível.

Abro um sorriso. Fico surpreso com o quanto isso me satisfaz, ensinar uma pessoa a fazer uma coisa e depois descobrir que funcionou.

— Muito bem — elogio.

— Eu não teria conseguido sem a sua ajuda. — Seu sorriso muda, se suaviza, fica menos entusiasmado e mais sincero. Ela fica na ponta dos pés e beija a minha bochecha.

Eu a encaro quando ela se afasta. Shauna ri e me arrasta até a mesa onde Zeke e alguns dos outros iniciandos nascidos na Audácia estão sentados. Ocorre-me que meu problema não é ser um Careta, mas não saber o que esses gestos de afetividade significam na Audácia. Shauna é bonita e engraçada, e, na Abnegação, se eu estivesse interessado nela, jantaria na casa de sua família, depois descobriria em qual projeto ela trabalha como voluntária e daria um jeito de ingressar nele também. Na Audácia, não tenho a menor ideia de como devo agir, ou de como descobrir se realmente gosto dela dessa maneira.

Decido não permitir que isso me distraia, pelo menos não agora. Pego um prato de comida e sento para comer, ouvindo a conversa e as risadas dos outros. Todos parabenizam Shauna por sua vitória, apontando para a garota que ela derrotou, sentada em uma das outras mesas com o rosto ainda inchado. Ao final da refeição, enquanto cutuco um pedaço de bolo de chocolate com o garfo, duas mulheres da Erudição entram no refeitório.

Não é fácil silenciar os membros da Audácia. Nem a chegada repentina das mulheres da Erudição os silencia completamente: a sala continua repleta de murmúrios, como o som distante de pessoas correndo. Mas, quando as mulheres da Erudição se sentam com Max e nada mais acontece, as conversas aos poucos recomeçam. Não participo delas. Continuo furando o bolo com o garfo, assistindo.

Max se levanta e se aproxima de Amah. Eles têm uma conversa tensa entre as mesas, depois começam a andar na minha direção. Até *mim*.

Amah pede que eu me aproxime. Abandono a minha bandeja quase vazia.

— Você e eu fomos chamados para uma avaliação — diz Amah. Sua boca, sempre sorridente, agora é uma linha reta, e sua voz animada soa monótona.

— Avaliação? — pergunto.

Max abre um pequeno sorriso para mim.

— Os resultados da sua simulação do medo foram um pouco anormais. Nossas amigas da Erudição ali atrás... — Olho sobre os ombros dele, para as mulheres da Erudição. Surpreso, percebo que uma delas é Jeanine Matthews, a representante da Erudição. Ela veste um terno azul elegante, e um par de óculos pende do seu pescoço preso por uma corrente, um símbolo tão exagerado da vaidade da Erudição que chega a ser ilógico. — Elas observarão outra simulação, para se certificarem de que o resultado anormal não foi um erro no programa. Amah levará todos vocês à sala de simulação do medo agora.

Sinto os dedos do meu pai agarrando o meu braço, ouço a sua voz sibilante alertando-me a não fazer nada de estranho na simulação do meu teste de aptidão. Tenho a sensação de formigamento nas palmas das mãos, o sinal de que estou prestes a entrar em pânico. Não consigo falar; então apenas olho para Max, depois para Amah, e faço que sim com a cabeça. Não sei o que isso significa, estar consciente durante uma simulação, mas sei que não pode ser nada de bom. Sei que Jeanine Matthews nunca viria aqui só para observar minha simulação se não houvesse algo muito errado comigo.

Caminhamos até a sala de simulação do medo sem trocar uma única palavra, enquanto Jeanine e a mulher que imagino ser sua assistente conversam baixinho atrás de nós. Amah abre a porta para que entremos.

— Vou buscar um equipamento extra para que vocês possam observar – diz Amah. – Já volto.

Jeanine caminha pela sala com uma expressão pensativa. Como qualquer outra pessoa da Abnegação, fui treinado para desconfiar da vaidade e da ganância da Erudição, e não confio nela. Ao olhar para ela, no entanto, ocorre-me que o que me ensinaram talvez não seja verdade. A mulher da Erudição que me ensinou a desmontar um computador quando eu trabalhava como voluntário na sala de computadores da escola não era gananciosa ou vaidosa; talvez Jeanine Matthews também não seja.

— Você foi registrado no sistema como 'Quatro' — diz Jeanine depois de alguns segundos. Ela para de caminhar, cruzando os braços na frente do corpo. — Achei isso intrigante. Por que não o conhecem como 'Tobias' aqui?

Jeanine já sabe quem eu sou. É claro que sabe. Ela sabe de tudo, não é mesmo? Parece que minhas entranhas estão murchando, desabando sobre si mesmas. Jeanine sabe o meu nome, conhece o meu pai e, se assistiu a uma das minhas simulações do medo, também conhece algumas das minhas partes mais sombrias. Seus olhos límpidos e quase úmidos encontram os meus, e desvio o olhar.

— Eu queria recomeçar do zero — respondo.

Ela acena com a cabeça.

— Consigo entender isso. Especialmente depois das experiências pelas quais você passou.

Ela soa quase... *gentil*. Fico arrepiado com o tom da sua voz quando a encaro.

— Estou bem — digo com frieza.

— É claro que está. — Ela abre um pequeno sorriso.

Amah empurra um carrinho para dentro da sala. Ele carrega mais fios, eletrodos e peças de computador. Sei o que devo fazer; sento-me na cadeira reclinável e apoio os braços nos descansos. Os outros se conectam à simulação. Amah se aproxima de mim com uma agulha, e fico parado enquanto ela espeta o meu pescoço.

Fecho os olhos, e o mundo se desfaz.

+ + +

Quando abro os olhos, estou em pé no telhado de um edifício extremamente alto, muito perto da beirada. Abaixo, vejo a calçada dura, as ruas vazias, ninguém que possa me ajudar a descer. O vento me atinge de todos os lados, e me inclino para trás, caindo de costas no telhado de cascalho.

Não gosto nem de estar aqui em cima, vendo este céu vasto e vazio ao meu redor, o que me faz lembrar de que estou no ponto mais alto da cidade. Recordo-me de que Jeanine Matthews está assistindo; jogo o corpo contra a porta do telhado, tentando abri-la enquanto bolo uma estratégia. Normalmente, eu encararia este medo saltando da beirada do prédio, porque sei que é apenas uma simulação e que não vou morrer de verdade. Mas outra pessoa nunca faria isso nesta simulação; outra pessoa encontraria uma forma segura de descer.

Avalio minhas opções. Posso tentar abrir a porta, mas não há nenhuma ferramenta para me ajudar a fazer isso aqui, apenas um telhado de cascalho, uma porta e o céu. Não posso fazer uma ferramenta surgir para me ajudar a atravessar a porta, porque este é exatamente o tipo de manipulação de simulação que Jeanine deve estar procurando. Afasto-me, chutando a porta com força, mas ela não cede.

Com o coração batendo muito rápido, caminho até a beirada outra vez. Em vez de olhar completamente para baixo, para as calçadas minúsculas, olho para o próprio edifício. Há janelas com parapeitos, centenas delas. A maneira mais rápida de descer, a maneira mais apropriada para alguém da Audácia, seria escalar a lateral do edifício.

Apoio o rosto nas mãos. Sei que isso não é real, mas parece real, com o vento assobiando nos meus ouvidos, seco e frio. Sinto a aspereza do concreto sob as minhas mãos e ouço o som dos cascalhos espalhados ao redor dos meus sapatos. Coloco uma perna para fora da beirada, tremendo, depois viro de cara para o edifício e começo a descer, um pé de cada vez, até ficar pendurado da beirada pelas pontas dos dedos.

O pânico borbulha dentro de mim, e solto um grito entre dentes cerrados. *Meu Deus*. Eu odeio alturas, simplesmente *odeio*. Pisco para afastar as lágrimas, culpando mentalmente o vento por elas, e tento achar o parapeito mais próximo com as pontas dos pés. Ao encontrá-lo, procuro o topo da janela com uma das mãos e faço força para cima, para manter o equilíbrio, enquanto apoio o corpo sobre as pontas dos meus pés.

Meu corpo se inclina para trás, pendurado no espaço vazio, e solto outro grito, cerrando os dentes com tanta força que eles rangem.

Preciso fazer isso outra vez. E mais outra. E mais outra.

Inclino o corpo, segurando a parte de cima da janela com uma das mãos e a parte de baixo com a outra. Quando consigo agarrar bem, arrasto a ponta do pé pela lateral do edifício, ouvindo o som do meu tênis raspando a pedra, depois me penduro outra vez.

Agora, ao saltar para o outro parapeito, não seguro forte o bastante. Meus pés escapam do parapeito, e meu corpo pende para trás. Sacudo os braços, roçando o prédio de concreto com as pontas dos dedos, mas não adianta nada; desabo, e outro grito cresce dentro de mim, derramando da minha garganta. Eu poderia criar uma rede sob mim; eu poderia criar uma corda no ar para me salvar, mas não. É melhor eu não criar nada, ou eles saberão o que sou capaz de fazer.

Permito-me desabar. Permito-me morrer.

Acordo sentindo dor, criada pela minha própria mente, ressoando em cada parte do meu corpo, gritando, e os meus olhos estão embaçados pelas lágrimas e pelo terror. Lanço o tronco bruscamente para a frente, sem fôlego. Meu corpo treme; sinto-me envergonhado em agir assim com esta plateia, mas sei que é uma coisa boa. Provará para elas que não sou especial. Sou apenas mais um imprudente da Audácia, que pensou que conseguiria descer pela parede de um prédio, mas falhou.

— Interessante — diz Jeanine, mas mal consigo ouvir sua voz por trás do som da minha própria respiração. — Nunca me canso de ver o interior da mente das pessoas. Cada detalhe sugere tantas coisas.

Jogo as pernas, ainda trêmulas, para fora da cadeira e pouso os pés no chão.

— Você foi bem — diz Amah. — Sua técnica de escalada ainda precisa melhorar um pouco, mas, mesmo assim, você saiu da simulação bem rápido, como da última vez.

Ele sorri para mim. Devo ter conseguido agir de forma normal, porque ele não parece mais preocupado.

Aceno com a cabeça.

— Bem, parece que o resultado anormal do seu teste foi uma falha do programa. Precisaremos investigar o programa de simulação para encontrar a falha — diz Jeanine. — Agora, Amah. Eu gostaria de assistir a uma das *suas* simulações do medo, se você não se importar.

— Minhas? Por que as minhas?

O sorriso meigo de Jeanine não muda.

— Nossas informações sugerem que você não se surpreendeu com o resultado anormal de Tobias e que, na verdade, você parecia bastante familiar com ele. Portanto, gostaria de saber se essa familiaridade vem da experiência.

— Suas informações — diz Amah. — Informações de onde?

— Um iniciando nos procurou para expressar a sua preocupação pelo seu bem-estar, assim como o de Tobias — diz Jeanine. — Gostaria de respeitar a privacidade dele. Tobias, você já pode ir embora. Obrigada por sua cooperação.

Olho para Amah. Ele acena de leve com a cabeça. Levanto-me, ainda vacilante, e saio da sala, deixando a porta um pouco aberta, para poder ficar e ouvir o que está acontecendo. Mas, assim que entro no corredor, a assistente de Jeanine bate a porta, e não consigo ouvir nada, mesmo encostando a orelha nela.

Um iniciando os procurou para expressar a sua preocupação, e tenho certeza de quem foi. O único de nós que antes era da Erudição: Eric.

+ + +

Durante uma semana, parece que a visita de Jeanine não vai dar em nada. Todos os iniciandos, tanto os nascidos na Audácia quanto os transferidos, passam por simulações do medo diariamente, e eu sempre me permito ser consumido pelos meus próprios medos: alturas, confinamento, violência, Marcus. Às vezes, eles se misturam: Marcus no topo de edifícios altos, violência em espaços confinados. Sempre acordo em um estado de semidelírio, tremendo, envergonhado porque, mesmo sendo o iniciando que tem apenas quatro medos, também sou aquele que não consegue se livrar deles depois que a simulação acaba. Eles me surpreendem quando menos espero, enchendo meu sono de pesadelos e minhas horas acordadas de tremedeiras e paranoias. Cerro os dentes, assusto-me com qualquer barulho, e minhas mãos ficam dormentes do nada. Temo enlouquecer antes do fim da iniciação.

— Você está bem? — pergunta Zeke no café da manhã, certo dia. — Você parece... exausto.

— Estou bem — respondo, um pouco mais áspero do que esperava.

— É, dá pra ver — diz Zeke, sorrindo. — Não tem problema não estar bem, sabia?

— É, eu sei — respondo, depois me obrigo a terminar a comida, apesar de tudo estar sem gosto nos últimos tempos. Sinto que estou enlouquecendo, mas pelo menos tenho ganhado peso, principalmente em músculos. É estranho ocupar tanto espaço apenas existindo, quando eu costumava desaparecer com tanta facilidade. Isso me faz sentir um pouquinho mais forte, um pouquinho mais estável.

Zeke e eu entregamos as nossas bandejas. No caminho para o Fosso, o irmão mais novo de Zeke, que eu me lembro se chamar Uriah, corre até nós. Ele já é mais alto do que Zeke e tem um curativo atrás da orelha cobrindo uma nova tatuagem. Geralmente, ele aparenta estar sempre prestes a contar uma piada, mas não desta vez. Agora, apenas parece atordoado.

— Amah — diz ele, um pouco ofegante. — Amah... — Ele balança a cabeça. — Amah morreu.

Solto uma pequena risada. Distanciando-me, tenho consciência de que não é a reação apropriada, mas não consigo me conter.

— O quê? Como assim, ele *morreu*? — pergunto.

— Uma mulher da Audácia encontrou um corpo no chão, perto da Pira, hoje cedo — diz Uriah. — Eles acabaram de identificá-lo. Era Amah. Ele... ele deve ter...

— Pulado? — diz Zeke.

— Ou caído, ninguém sabe — diz Uriah.

Caminho em direção às passagens que sobem as paredes do Fosso. Geralmente, quase me encosto à parede ao fazer isso, com medo da altura, mas, desta vez, nem penso no que há embaixo. Passo por crianças que correm e gritam, e por pessoas entrando e saindo das lojas. Subo a escada suspensa do teto de vidro.

Há uma multidão reunida no saguão da Pira. Acotovelo as pessoas para abrir caminho. Algumas delas me xingam ou me acotovelam de volta, mas quase não noto. Alcanço o canto do recinto, as paredes de vidro com vista para as ruas que cercam o complexo da Audácia. Do lado de fora, uma área foi isolada por uma fita, e um filete vermelho-escuro se espalha sobre a calçada.

Encaro o filete por bastante tempo, até começar a compreender que ele é composto do sangue de Amah, sangue do seu corpo que se chocou com o chão.

Depois, vou embora.

+ + +

Não conhecia Amah bem o bastante para ficar de luto, ou pelo menos não da maneira que aprendi a entender esse sentimento. O luto é o que senti depois da morte da minha mãe: um peso que me impedia de me mover todos os dias. Lembro-me de parar no meio de tarefas simples para descansar e depois me esquecer de retomá-las, ou de acordar no meio da noite com o rosto úmido de lágrimas.

Não carrego a perda de Amah dessa maneira. Surpreendo-me sentindo a sua falta de vez em quando, quando me lembro de como ele me batizou, como ele me protegeu quando ainda nem me conhecia. Mas, na maior parte do tempo, sinto apenas raiva. Sua morte teve alguma coisa a ver com Jeanine Matthews e a avaliação da simulação do medo, tenho certeza. E isso significa que o que quer que tenha acontecido também é culpa do Eric, porque ele ouviu a nossa conversa e a relatou à líder de sua antiga facção.

Eles assassinaram Amah, os membros da Erudição. Mas todos acham que ele pulou ou caiu. É algo que alguém da Audácia faria.

Uma cerimônia em memória a ele é organizada pela Audácia naquela noite. Ao final, todos estão bêbados.

Reunimo-nos perto do abismo, e Zeke me passa um copo com um líquido escuro. Eu o engulo sem pensar. Enquanto a tranquilidade líquida derrama dentro de mim, balanço o corpo um pouco e devolvo o copo vazio para ele.

— É, acho que é uma boa — diz Zeke, encarando o copo vazio. — Vou buscar mais.

Aceno com a cabeça e ouço o ronco do abismo. Jeanine Matthews pareceu aceitar que os meus resultados anormais foram apenas uma falha do programa, mas e se ela estivesse apenas fingindo? E se ela vier atrás de mim, como foi atrás de Amah? Tento afastar o pensamento, levá-lo para um lugar onde não o encontrarei novamente.

Uma mão escura e cheia de cicatrizes pousa no meu ombro, e Max para ao meu lado.

— Você está bem, Quatro? — pergunta ele.

— Sim — respondo, e falo a verdade. Estou bem. Estou bem porque ainda estou de pé, e ainda não estou enrolando a língua.

— Sei que Amah tinha um interesse especial por você. Acho que ele via muito potencial em você. — Max abre um pequeno sorriso.

— Eu não o conhecia muito bem.

— Ele era um pouco perturbado, um pouco desequilibrado. Era diferente dos outros iniciandos da turma em que entrou — diz Max. — Acho que a perda dos avós o abalou muito. Ou talvez o problema fosse mais profundo... Não sei. Talvez ele esteja melhor assim.

— Melhor *morto*? — pergunto, olhando para ele com raiva.

— Não foi exatamente isso que eu quis dizer — responde Max. — Mas aqui na Audácia encorajamos nossos membros a escolher seus próprios caminhos na vida. Se foi isso que ele escolheu... melhor para ele. — Ele pousa a mão no meu ombro outra vez. — Dependendo de como você se sair no seu exame final amanhã, nós dois precisaremos conversar sobre o futuro que você gostaria de ter aqui na Audácia. Você é, de longe, nosso iniciando mais promissor, apesar do seu histórico.

Eu apenas continuo a encará-lo. Não entendo o que ele está falando, ou por que está falando isso aqui, na cerimônia em memória de Amah. Será que ele está tentando me *recrutar*? Para quê?

Zeke volta com dois copos, e Max se mistura à multidão, como se nada tivesse acontecido. Um dos amigos de Amah sobe em uma cadeira e grita algo sem sentido, sobre como Amah era corajoso o bastante para explorar o desconhecido.

Todos levantam seus copos e gritam o nome dele. *Amah, Amah, Amah*. Eles gritam o nome dele tantas vezes que ele perde o sentido, se transformando em um som inexorável, repetitivo e esgotante.

Depois, todos bebemos. É assim que a Audácia pranteia os seus mortos: expulsando a tristeza até o esquecimento alcoólico e deixando-a lá.

Está bem. Tudo bem. Eu também consigo expulsar a tristeza.

+ + +

Meu exame final, minha paisagem do medo, é administrado por Tori e observado pelos líderes da Audácia, entre eles Max. Paro em algum lugar no meio do grupo de iniciandos e, pela primeira vez, não me sinto nem um pouco nervoso. Na paisagem do medo, todos ficam conscientes durante a simulação, então não tenho nada a esconder. Cravo a agulha no meu próprio pescoço e deixo a realidade desaparecer.

Já fiz isso várias vezes. Encontro-me no topo de um edifício alto e salto correndo da beirada. Fico trancado dentro de uma caixa e entro em pânico por um breve instante, antes de lançar o ombro contra a parede à direita, quebrando a madeira com o impacto, de modo impossível. Pego uma arma e disparo, sem pensar duas vezes, contra a cabeça de uma pessoa inocente, agora um homem sem rosto vestindo o preto da Audácia.

Desta vez, quando os Marcus me cercam, eles se parecem mais com meu pai do que antes. Sua boca é uma boca, embora seus olhos ainda sejam cavidades vazias. E, quando levantam os braços para me agredir, eles seguram um cinto, não uma corda farpada ou qualquer outra arma capaz de me despedaçar. Recebo alguns golpes, depois me lanço contra o Marcus mais próximo, agarrando sua garganta. Soco violentamente seu rosto, e a violência me causa um breve momento de satisfação antes de eu acordar, agachado no chão da sala da paisagem do medo.

As luzes da sala ao lado se acendem, permitindo que eu veja as pessoas lá dentro. Há duas fileiras de iniciandos à espera, entre eles Eric, que agora tem tantos piercings no lábio que às vezes me pego imaginando como seria arrancar todos, um por um. Sentados na frente deles, encontram-se três líderes da Audácia, entre eles Max, e todos balançam afirmativamente com a cabeça e sorriem. Tori faz um sinal de positivo para mim com o polegar.

Comecei o exame pensando que não me importava mais. Não me importava mais em passar, ou em ir bem, ou em entrar para a Audácia. Mas o sinal de positivo de Tori me enche de orgulho, e permito-me sorrir um pouco ao deixar a sala. Amah pode estar morto, mas ele sempre quis que eu me saísse bem. Não posso dizer que fiz isso por ele. Na verdade, não fiz por ninguém, nem por mim mesmo. Mas pelo menos não o envergonhei.

Todos os iniciandos que já terminaram o exame final esperam pelos resultados no dormitório dos transferidos, até os nascidos na Audácia. Zeke e Shauna soltam um grito de comemoração quando entro, e eu me sento na beirada da cama.

— Como foi? — pergunta Zeke.

— Tudo bem — respondo. — Sem grandes surpresas. E o de vocês?

— Foi horrível, mas sobrevivi — diz ele, dando de ombros. — Mas a Shauna enfrentou alguns medos novos.

— Consegui lidar com eles — diz Shauna com um tom exagerado de indiferença. Ela pôs um travesseiro que pertence a Eric entre os joelhos. Ele não gostará nada disso.

A máscara dela cai, e ela abre um sorriso.

— Eu mandei muito bem — diz ela.

— Certo, certo — diz Zeke.

Shauna o atinge com o travesseiro, bem na cara. Ele o arranca das mãos dela.

— O que você quer que eu diga? É verdade, você mandou muito bem. É verdade, você é a melhor integrante da Audácia da história. Satisfeita? — Ele a atinge no ombro com o travesseiro. — Ela não para de se gabar desde que começamos as simulações do medo, só porque é melhor nelas do que eu. Não aguento mais.

— Só estou me vingando pelo tanto que você se gabou durante o treinamento de combate — retruca ela. — 'Você viu aquele golpe que eu dei bem no começo?' Blá, blá, blá.

Ela o empurra, e ele agarra seu pulso. Shauna se solta e dá um peteleco na orelha dele, e os dois riem e lutam.

Talvez eu não entenda a afetividade da Audácia, mas acho que sei reconhecer quando as pessoas estão flertando. Dou uma risadinha. Acho que isso resolve a minha questão com Shauna, não que estivesse me incomodando tanto assim. Isso provavelmente já era a resposta em si.

Permanecemos sentados por mais uma hora enquanto os outros terminam os exames finais e entram no dormitório, um por um. O último a entrar é Eric, que fica parado na porta, com ar convencido.

— Chegou a hora de anunciarem os resultados — diz ele.

Os outros se levantam e passam pelo garoto, saindo do dormitório. Alguns parecem nervosos; outros estão convencidos e seguros. Espero até que todos tenham saído antes de caminhar até a porta, mas não passo por ela. Paro, cruzando os braços, e encaro Eric por alguns segundos.

— Tem algo a dizer? — pergunta ele.

— Sei que foi você — respondo. — Você dedurou o Amah para a Erudição. Eu sei.

— Não sei do que você está falando — diz ele, mas é óbvio que sabe.

— Ele morreu por sua causa. — Fico surpreso com a rapidez com que sou tomado pela ira. Meu corpo treme de raiva, e meu rosto esquenta.

— Acertaram a sua cabeça durante o exame, Careta? — zomba Eric com uma risadinha debochada. — Você não está falando coisa com coisa.

Eu o empurro com força contra a porta. Depois, seguro-o com um braço. Por um instante, fico surpreso com a minha força. Inclino-me para a frente, aproximando-me do rosto dele.

— Sei que foi você — repito, procurando alguma coisa, qualquer coisa, em seus olhos pretos. Não vejo nada, apenas olhos de peixe morto, impenetráveis. — Ele morreu por sua causa, e você não vai se safar dessa.

Eu o solto e desço o corredor em direção ao refeitório.

+ + +

O refeitório está *abarrotado* de pessoas que vestem suas melhores roupas da Audácia — piercings exagerados combinando com anéis mais chamativos e todas as tatuagens à mostra, mesmo que isso signifique ficar sem roupa. Tento manter os olhos fixos nos rostos das pessoas enquanto atravesso a multidão apertada de corpos. Os cheiros de bolo, carne cozida e pão enchem o ambiente, me dando água na boca. Eu me esqueci de almoçar.

Quando chego à minha mesa de costume, roubo um pão do prato de Zeke quando ele não está olhando e fico parado junto com os outros, aguardando os resultados. Tomara que eles não nos façam esperar demais. Sinto como se estivesse segurando uma cerca elétrica. Minhas mãos têm espasmos, e meus pensamentos estão frenéticos, caóticos. Zeke e Shauna tentam falar comigo, mas nenhum de nós consegue gritar alto o bastante para ser ouvido com o barulho ao redor, então nos contentamos em esperar em silêncio.

Max sobe em uma das mesas e levanta as mãos, pedindo silêncio. Quase consegue, mas nem ele é capaz de silenciar a Audácia por completo, e alguns continuam conversando e fazendo piadas como se nada tivesse acontecido. Mesmo assim, consigo ouvir o discurso.

— Há algumas semanas, um grupo de iniciandos esquálidos e assustados deixou seu sangue nos carvões e deu o grande salto para dentro da Audácia — diz Max. — Para ser sincero, pensei que nenhum deles conseguiria sobreviver ao primeiro dia. — Ele faz uma pausa para as risadas, que realmente ocorrem, apesar de a piada não ter sido tão boa assim. — Mas estou satisfeito em anunciar que este ano todos os nossos iniciandos atingiram a pontuação necessária para entrar para a Audácia!

Todos comemoram. Apesar da certeza de que não serão cortados, Zeke e Shauna trocam olhares nervosos. A ordem na qual fomos qualificados ainda determinará o tipo de emprego que poderemos escolher dentro da Audácia. Zeke coloca o braço nos ombros de Shauna e a aperta.

De repente, sinto-me sozinho novamente.

— Sem mais delongas — diz Max. — Sei que nossos iniciandos estão com o coração quase saindo pela boca. Então, eis os doze novos membros da Audácia!

Os nomes dos iniciandos aparecem em um enorme monitor atrás dele, grande o bastante para que até as pessoas no fundo do refeitório vejam. Procuro automaticamente os nomes deles na lista:

6. *Zeke*
7. *Brasa*
8. *Shauna*

Instantaneamente, parte da minha tensão se dissipa. Sigo até o topo da lista e, por um segundo, sinto uma pontada de pânico quando não encontro o meu nome. Mas então eu o vejo, bem no topo.

1. *Quatro*
2. *Eric*

Shauna solta um grito, e ela e Zeke me apertam em um abraço desajeitado, quase me derrubando no chão. Solto uma risada e levanto os braços para devolver o gesto.

De alguma forma, em meio ao caos, deixei meu pão cair. Eu o esmago sob o calcanhar e sorrio enquanto as pessoas me cercam, até as que nem conheço, batendo nos meus ombros, sorrindo e dizendo o meu nome. Meu nome, que passou a ser apenas "Quatro". Todas as suspeitas sobre as minhas origens foram esquecidas agora que sou um deles, um membro da Audácia.

Não sou Tobias Eaton, não mais, nunca mais. Sou um membro da Audácia.

+ + +

De noite, embriagado de animação e tão bem-alimentado que mal consigo andar, escapo da comemoração e subo o caminho que leva ao topo do Fosso, até o saguão da Pira. Atravesso a porta e respiro fundo o ar noturno, que é frio e refrescante, diferente do ar quente e estagnado do refeitório.

Caminho em direção aos trilhos, animado demais para ficar parado. Há um trem chegando, e o seu farol dianteiro pisca à medida que ele se aproxima de mim. Ele passa, poderoso e cheio de energia, ruidoso como trovão nos meus ouvidos. Inclino-me mais para perto dele, saboreando, pela primeira vez, a empolgação do medo no meu estômago, de estar tão perto de algo tão perigoso.

De repente, vejo algo escuro, parecido com uma figura humana, em um dos últimos vagões. É uma mulher alta, inclinada para fora do vagão, segurando uma das barras. Por um único segundo, quando o borrão do trem passa por mim, vejo um cabelo escuro e encaracolado e um nariz curvado.

Ela quase parece a minha mãe.

Depois, ela se vai, junto com o trem.

O FILHO

O PEQUENO APARTAMENTO não está mobiliado, e o chão ainda guarda nos cantos a poeira acumulada pelas vassouradas. Meus únicos pertences são as roupas da Abnegação, que estão enfiadas no fundo da sacola ao meu lado. Eu a jogo no colchão vazio e vasculho as gavetas sob a cama, à procura de lençóis.

Tive sorte na loteria da Audácia, porque fiquei classificado em primeiro lugar e porque, ao contrário dos meus colegas iniciandos extrovertidos, eu queria morar sozinho. Alguns, como Zeke e Shauna, cresceram rodeados pela comunidade da Audácia, e, para eles, o silêncio e a quietude da vida a sós seriam insuportáveis.

Arrumo a cama depressa, esticando bem o lençol de cima a ponto de envolver os cantos do colchão. Algumas partes dos lençóis estão puídas, comidas por traças ou gastas pelo uso, não tenho certeza. O cobertor, uma colcha azul, cheira a cedro e poeira. Ao abrir a sacola com meus parcos pertences, seguro a camisa rasgada da Abnegação, de quando tive que cortar o tecido para atar o ferimento na minha mão. Ela parece pequena. Acho que não caberia mais em mim, mas não tento vesti-la; apenas a dobro e jogo dentro da gaveta.

Ouço uma batida à porta e, pensando ser Zeke ou Shauna, digo:

— Entre!

Mas é Max, o homem alto com pele escura e dedos feridos, quem entra no apartamento, com as mãos dobradas diante do corpo. Ele examina o quarto, depois contorce o lábio com nojo ao ver as calças cinza dobradas sobre a cama. Sua reação me surpreende um pouco. Não há muitas pessoas na cidade que escolheriam a Abnegação como facção, mas poucos a odeiam. Parece que encontrei um deles.

Levanto-me, sem saber ao certo o que dizer. Há um líder de facção no meu apartamento.

— Olá — cumprimento.

— Desculpe-me por interromper — diz ele. — Fico surpreso por você não ter escolhido dividir um apartamento com um dos seus amigos iniciandos. Você fez alguns, não fez?

— Fiz — respondo. — Mas assim me sinto mais confortável.

— Acho que vai demorar um tempo até você deixar para trás sua antiga facção. — Max passa a ponta do dedo sobre a bancada da minha pequena cozinha, examina a poeira que coletou e depois limpa a mão nas calças. Ele me encara com um olhar crítico, que me diz que devo abrir mão da minha antiga facção mais rápido. Se eu ainda fosse um iniciando, poderia me preocupar com seu olhar, mas agora sou um membro da Audácia, e ele não pode tirar isso de mim, não importa o quão "Careta" eu pareça.

Ou será que ele pode?

— Hoje à tarde você escolherá o seu emprego — diz Max. — Você tem algum em mente?

— Acho que depende do que estiver disponível — respondo. — Quero fazer algo voltado para o ensino. Como o que Amah fazia, talvez.

— Acho que o iniciando que ficou em primeiro lugar pode escolher algo melhor do que 'instrutor de iniciação', não é mesmo? — Max ergue as sobrancelhas, e noto que uma delas não levanta tanto quanto a outra. Ela é marcada por cicatrizes. — Estou aqui porque surgiu uma oportunidade.

Ele puxa uma cadeira que estava junto à pequena mesa perto da bancada da cozinha, vira-a e se senta de frente para o encosto. Suas botas pretas estão sujas de lama marrom-clara, e os cadarços amarrados têm as pontas esfiapadas. Ele pode ser o membro mais velho da Audácia que já vi, mas parece feito de aço.

— Para ser sincero, um dos líderes da Audácia está ficando um pouco velho para a função — diz Max. Sento-me na beirada da cama. — Os outros quatro de nós acreditam que seria uma boa ideia trazer sangue novo para a liderança. Mais especificamente, novas ideias para novos membros da Audácia e para a iniciação. De qualquer maneira, essa tarefa costuma ser entregue ao líder mais jovem, então seria perfeito. Consideramos escolher alguém das turmas mais recentes de iniciandos para um programa de treinamento, para descobrir se algum deles seria um bom candidato. Você seria uma escolha natural.

De repente, sinto-me pouco à vontade. Ele realmente está sugerindo que, aos dezesseis anos, eu poderia ser elegível para um cargo de liderança na Audácia?

— O programa de treinamento durará um ano, no mínimo — diz Max. — Será rigoroso e testará as suas habilidades em diversas áreas. Nós dois sabemos que você se sairá muito bem na paisagem do medo.

Concordo com a cabeça, sem pensar. Ele não deve ligar para minha autoconfiança, porque abre um pequeno sorriso.

— Você não precisará ir à reunião de seleção de empregos mais tarde — diz Max. — O treinamento começará muito em breve. Amanhã de manhã, na verdade.

— Espere — digo, quando um pensamento brota em meio à confusão na minha mente. — Eu não tenho escolha?

— É claro que você tem escolha. — Ele parece confuso. — Mas imaginei que alguém como você preferiria treinar para se tornar um líder do que passar o dia todo ao redor de uma cerca com uma arma apoiada no ombro, ou ensinando iniciandos sobre boas técnicas de luta. Mas talvez eu esteja errado...

Não sei por que hesito. Não quero passar os meus dias protegendo a cerca ou patrulhando a cidade, nem mesmo caminhando pela sala de treinamento. Posso ter aptidão para a luta, mas isso não significa que eu tenha que lutar o tempo todo. A chance de fazer a diferença na Audácia agrada o meu lado da Abnegação, o lado que não quer ir embora e que ocasionalmente exige a minha atenção.

Acho que apenas não gosto quando não me dão escolha. Balanço a cabeça.

— Não, você não está errado. — Limpo a garganta e tento soar mais firme, mais determinado. — Quero fazer isso. Obrigado.

— Excelente. — Max se levanta e estala um dos dedos da mão, de maneira indiferente, como se fosse um velho hábito. Ele estende a mão para apertar a minha, e eu a seguro, embora seu gesto ainda pareça pouco familiar para mim. Os membros da Abnegação nunca se tocariam de maneira tão casual. — Venha para a sala de conferências perto do meu escritório amanhã de manhã, às oito. Fica na Pira. No décimo andar.

Ele vai embora, e as solas das suas botas espalham pedaços de terra seca ao sair. Eu os varro com a vassoura que está encostada à parede, ao lado da porta. Mas, ao empurrar a cadeira de volta para junto da mesa, percebo uma coisa. Se me tornar um líder da Audácia, um representante da minha facção, terei que ficar cara a cara com o meu pai de novo. E não apenas uma vez, mas várias, até que ele finalmente se aposente e volte à obscuridade da Abnegação.

Meus dedos começam a ficar dormentes. Já enfrentei meus medos tantas vezes nas simulações, mas isso não significa que eu esteja pronto para encará-los no mundo real.

✦ ✦ ✦

— Cara, você perdeu a reunião! — Zeke está com os olhos arregalados, preocupado. — Os únicos empregos que sobraram no final foram os nojentos, como limpar privadas! Onde *você* estava?

— Está tudo bem — digo, levando a bandeja de comida até a nossa mesa, perto da porta. Shauna está lá com a irmã mais nova, Lynn, e uma amiga de Lynn, Marlene. Assim que as vi lá, tive vontade de dar meia-volta e ir embora. Marlene é animada demais para mim, mesmo quando estou de bom humor. Entretanto, Zeke já tinha me visto, então era tarde demais. Atrás de nós, Uriah dá uma corridinha para nos alcançar, com uma quantidade de comida tão grande no prato que duvido que consiga fazer tudo caber no seu estômago. — Eu não perdi nada. Max veio me visitar mais cedo.

Enquanto nos sentamos à mesa, sob uma das lâmpadas fortes e azuis penduradas na parede, explico a oferta de Max, tentando fazê-la soar menos impressionante do que de fato é. Acabei de fazer amigos; não quero criar uma tensão de inveja entre nós à toa. Quando termino de contar a história, Shauna apoia o rosto em uma das mãos e fala para Zeke:

— Acho que deveríamos ter nos esforçado mais durante a iniciação, não é mesmo?

— Ou matado o Quatro antes de ele fazer o teste final.

— Ou os dois. — Shauna sorri para mim. — Parabéns, Quatro. Você merece.

Sinto os olhos de todos em mim como feixes de calor distintos e poderosos, e mudo o assunto depressa.

— Com quais empregos vocês ficaram?

— Na sala de controle — diz Zeke. — Minha mãe costumava trabalhar lá, e já me ensinou quase tudo que precisarei saber.

— Eu estou naquele... negócio de liderança do caminho da patrulha — diz Shauna. — Não é o emprego mais emocionante do mundo, mas pelo menos trabalharei ao ar livre.

— É, quero ver você dizer isso no meio do inverno, quando estiver andando em trinta centímetros de neve e gelo — diz Lynn amargamente. Ela dá uma garfada em uma pilha de purê de batata. — É melhor eu me sair bem na iniciação. Não quero ficar presa patrulhando a cerca.

— Já não falamos sobre isso? — diz Uriah. — Não diga a palavra com 'i' até pelo menos duas semanas antes de ela terminar. Isso me dá vontade de vomitar.

Encaro a pilha de comida na sua bandeja.

— E quanto a se entupir de comida, não tem problema?

Ele revira os olhos e se debruça sobre a bandeja para continuar comendo. Mal toco a minha comida. Estou sem apetite desde hoje de manhã, preocupado demais sobre o dia de amanhã para aguentar um estômago cheio.

Zeke vê alguém do outro lado do refeitório.

— Já volto — diz ele.

Shauna o observa cruzar o salão para cumprimentar alguns jovens membros da Audácia. Eles não parecem muito mais velhos do que ele, mas não os reconheço da iniciação, então devem ter um ou dois anos a mais. Zeke fala algo com o grupo, composto quase inteiramente de meninas, e todos caem na gargalhada. Ele cutuca a costela de uma das garotas, e ela solta um gritinho. Ao meu lado, Shauna observa a cena furiosa, errando a boca com o garfo e sujando a bochecha com o molho do frango. Lynn bufa sobre sua comida, e Marlene a chuta sob a mesa de maneira audível.

— E aí — diz Marlene, bem alto. — Você conhece mais alguém que vá participar do programa de liderança, Quatro?

— Pensando bem, também não vi Eric na reunião hoje — diz Shauna. — Esperava que ele tivesse tropeçado e caído no abismo, mas...

Enfio uma garfada de comida na boca e tento não pensar no assunto. A luz azul faz minhas mãos parecerem pálidas como as de um cadáver. Não falo com Eric desde que o acusei de ser indiretamente responsável pela morte de Amah. Alguém denunciou a capacidade de Amah de permanecer consciente em simulações a Jeanine Matthews, líder da Erudição, e, como antigo integrante da Erudição, Eric é o principal suspeito. Ainda não decidi o que farei da próxima vez que falar com ele. Espancá-lo outra vez não vai provar que ele é um traidor da facção. Precisarei encontrar uma forma de conectar suas atividades recentes à Erudição e levar a informação a um dos líderes da Audácia, provavelmente o Max, já que o conheço melhor.

Zeke volta para a mesa e se senta.

— Quatro, o que você fará amanhã à noite? — pergunta ele.

— Não sei — respondo. — Nada?

— Agora você já tem o que fazer — diz ele. — Você me acompanhará em um encontro.

Engasgo com um pedaço de batata.

— O quê?

— É, detesto ter que lhe dizer isso, irmãozão — comenta Uriah —, mas as pessoas costumam ir a encontros sozinhas, não com amigos.

— É um encontro duplo, claro — comenta Zeke. — Chamei a Maria para sair, e ela disse alguma coisa sobre encontrar um cara para sair com a amiga dela, Nicole, e eu disse que você se interessaria.

— Qual delas é a Nicole? — pergunta Lynn, esticando o pescoço para olhar para o grupo de meninas.

— A ruiva — responde Zeke. — Então, será às oito. Você vai, e eu não estou nem perguntando.

— Eu não... — digo. Olho para a ruiva do outro lado do refeitório. Ela tem a pele clara, olhos grandes cheios de maquiagem preta e veste uma camisa apertada que exibe a curva da sua cintura e... outras coisas que a voz da Abnegação dentro de mim me diz para não notar. Mas que, mesmo assim, eu noto.

Nunca fui a um encontro romântico, graças aos rígidos rituais de paquera da minha antiga facção, que incluem se voluntariar para a mesma causa e talvez, *apenas talvez*, jantar com a família do outro e ajudar a lavar a louça depois. Nunca nem pensei se queria ou não namorar alguém; era completamente impossível.

— Zeke, eu nunca...

Uriah franze a testa e cutuca a minha cara com força. Dou um tapa na sua mão.

— *O que foi?*

— Ah, nada — diz Uriah, animado. — Você só estava soando mais *Careta* do que o normal, então pensei em conferir...

Marlene solta uma risada.

— Até parece — diz ela.

Zeke e eu nos entreolhamos. Nunca conversamos abertamente sobre não contarmos a minha facção de origem, mas, até onde sei, ele nunca mencionou isso a ninguém. Uriah sabe, mas, apesar de ser um falastrão, ele parece saber quando não revelar uma informação. Apesar disso, não sei como a Marlene ainda não descobriu. Talvez ela não seja muito observadora.

— Não é nada de mais, Quatro — diz Zeke. Ele termina de comer. — Você vai, conversará com a garota como se ela fosse um ser humano normal, o que ela de fato é. Talvez ela até deixe que você — *suspiro* — *segure a mão dela*...

Shauna se levanta de repente, e sua cadeira se arrasta no chão de pedra. Ela prende o cabelo atrás da orelha e caminha em direção ao local de devolução de bandejas com a cabeça abaixada. Lynn olha feio para Zeke — uma expressão pouco diferente da que costuma ter — e segue a irmã pelo refeitório.

— Está bem, você não precisa segurar a mão de ninguém — diz Zeke, como se nada tivesse acontecido. — Apenas vá comigo, está bem? Vou ficar te devendo uma.

Olho para Nicole. Ela está sentada em uma mesa perto do local de devolução de bandejas, rindo de outra piada de alguém. Talvez Zeke tenha razão, talvez não seja nada demais, e talvez essa seja outra maneira de desaprender o meu passado na Abnegação e adotar o meu futuro na Audácia. Além disso, ela é bonita.

— Está bem — digo. — Eu vou. Mas se você fizer algum tipo de piada sobre segurar a mão dela, quebro o seu nariz.

+ + +

Quando volto para o meu apartamento à noite, ele ainda cheira a poeira e um pouco de mofo. Acendo uma das lâmpadas e vejo algo brilhar sobre a bancada. Passo a mão por ela, e um pequeno caco de vidro fura o meu dedo, fazendo-o sangrar. Eu o seguro com as pontas dos dedos e o carrego até o lixo, que forrei com um saco hoje de manhã. Mas, no fundo do saco agora há uma pilha de cacos do que antes era um copo.

Eu ainda não usei um copo desses.

Sinto um calafrio e procuro outros sinais suspeitos pelo apartamento. Os lençóis não estão amassados, nenhuma das gavetas está aberta, e nenhuma das cadeiras foi movida. Mas eu saberia se tivesse quebrado um copo de manhã.

Então, quem esteve no meu apartamento?

+ + +

Não sei por quê, mas a primeira coisa que minhas mãos encontram de manhã, quando entro cambaleante no banheiro, é a máquina de cortar cabelo que comprei com meus créditos da Audácia ontem. Então, enquanto ainda estou piscando para afastar o sono, viro a máquina e a encosto na cabeça, como tenho feito desde criança. Dobro a orelha para a frente, para protegê-la das lâminas; sei exatamente como devo virar e mover a cabeça para ver o máximo possível da minha nuca. O ritual acalma os meus nervos e me faz sentir focado e seguro. Limpo os cabelos raspados dos meus ombros e pescoço e os varro para a lixeira.

É uma manhã da Abnegação. Uma chuveirada rápida, um café da manhã simples, uma casa limpa. A diferença é que estou vestindo o preto da Audácia, botas, calças, camisa e jaqueta. Evito olhar para o espelho ao sair, e isso me faz cerrar os dentes por saber o quão profundas são as minhas raízes de Careta, e como será difícil extirpá-las da minha mente, de tão emaranhadas que estão em tudo. Deixei aquele lugar por medo e rebeldia, e isso fará com que seja mais difícil me adaptar do que qualquer um pode imaginar, mais difícil do que se eu tivesse escolhido a Audácia pelos motivos certos.

Caminho a passos rápidos em direção ao Fosso, entrando por uma passagem em forma de arco no muro. Mantenho a distância da beirada da passagem, embora crianças da Audácia, gritando e rindo, às vezes corram bem no limite, e eu devesse ser mais corajoso do que elas. Não sei se a coragem é algo que adquirimos com a idade, como a sabedoria, mas talvez aqui, na Audácia, a coragem seja a forma mais alta de sabedoria, o reconhecimento de que a vida pode e deve ser vivida sem medo.

É a primeira vez que me pego pensando sobre a vida na Audácia, então me apego a essa ideia enquanto subo o caminho ao redor do Fosso. Alcanço a escada que desce do teto de vidro e mantenho os olhos voltados para cima, desviando-os do espaço que se abre sob mim, para não entrar em pânico. De qualquer maneira, quando chego ao final da escada, meu coração está disparado; sinto-o até na garganta. Max disse que seu escritório ficava no décimo andar; então subo pelo elevador com um grupo de membros da Audácia a caminho do trabalho. Eles parecem não se conhecer. Ao contrário da Abnegação, não é importante para eles memorizar nomes, rostos, necessidades e desejos dos outros, e talvez eles se atenham apenas aos seus amigos e familiares, formando comunidades ricas, mas separadas, dentro da facção. Como a que eu mesmo estou formando.

Quando chego ao décimo andar, não sei ao certo aonde ir, mas então vejo uma cabeça com cabelos pretos virando um corredor à minha frente. Eric. Eu o sigo, em parte porque ele provavelmente sabe aonde está indo, mas também porque quero saber o que ele está fazendo, mesmo que não esteja indo para o mesmo lugar que eu. Contudo, quando viro o corredor, vejo Max dentro de uma sala de conferências com paredes de vidro, cercado por jovens da Audácia. O mais velho talvez tenha vinte anos, e o mais novo não deve ser muito mais velho do que eu. Max me vê através do vidro e acena para que eu entre. Eric está sentado ao seu lado. *Puxa-saco*, penso. Vou para a outra ponta da mesa, entre uma garota com uma argola entre as narinas e um rapaz cujo cabelo pintado é de um verde tão gritante que nem consigo encará-lo diretamente. Em comparação a eles, sinto-me simples. Posso ter tatuado chamas da Audácia nas costelas durante a iniciação, mas elas não estão à mostra.

— Acho que todos já estão aqui, então vamos começar. — Max fecha a porta da sala de conferências e para à nossa frente. Ele parece estranho em um ambiente tão normal, como se estivesse aqui para quebrar todos os vidros e causar caos, não para conduzir uma reunião. — Todos vocês estão aqui porque mostraram potencial, em primeiro lugar, mas também porque demonstraram entusiasmo a respeito da nossa facção e do seu futuro. — Não sei como posso ter feito isso. — Nossa cidade está mudando, mais rápido agora do que antes, e, se quisermos acompanhar o seu ritmo, precisaremos mudar também. Precisaremos nos tornar mais fortes, mais corajosos, melhores do que somos agora. Entre vocês, estão as pessoas que poderão nos levar até esse patamar, mas precisaremos descobrir quem elas são. Realizaremos uma combinação de aulas e testes de habilidade durante os próximos meses, para ensinar o que vocês precisarão saber se concluírem este programa, mas também para ver a rapidez do seu aprendizado.

Isso parece algo que seria valorizado na Erudição, e não na Audácia. Estranho.

— A primeira coisa que precisam fazer é preencher este formulário com seus dados — diz ele, e quase caio na gargalhada. Há algo de ridículo em um guerreiro durão da Audácia com uma pilha de papéis que chama de "formulários com seus dados", mas é claro que algumas coisas precisam ser normais aqui, porque assim é mais eficiente. Ele distribui a pilha de papéis, junto com um punhado de canetas. — Isso vai nos ajudar a conhecer mais sobre vocês, e nos oferecerá um ponto de partida para medirmos o seu progresso. Então, é do seu interesse que sejam honestos e não tentem parecer melhores do que são.

Sinto-me perturbado, encarando esta folha de papel. Preencho o meu nome, que é a primeira pergunta, depois a minha idade, a segunda. A terceira pede a minha facção de origem, e a quarta o meu número de medos. A quinta pergunta quais são esses medos.

Não sei muito bem como os descrever. Os dois primeiros são fáceis, altura e confinamento, mas e o medo seguinte? E o que devo escrever sobre o meu pai? Que tenho medo de Marcus Eaton? Acabo colocando *perder o controle* para o meu terceiro medo e *ameaças físicas em espaços confinados* para o quarto, sabendo que isso não é nem próximo da verdade.

Mas as perguntas seguintes são estranhas, confusas. Elas são declarações, formuladas de maneira capciosa, com as quais devo concordar ou não. *Não há problema em roubar se o objetivo for ajudar outra pessoa.* Bem, essa é fácil: concordo. *Algumas pessoas merecem mais recompensas do que outras.* Talvez. Depende das recompensas. *O poder deve ser entregue apenas àqueles que o merecem. Circunstâncias difíceis formam pessoas mais fortes. Não há como calcular a força de uma pessoa até que ela realmente seja testada.* Olho para os outros ao redor da mesa. Algumas pessoas parecem confusas, mas ninguém dá a impressão de se sentir como eu, perturbado, quase com medo de circular uma resposta sobre cada declaração.

Não sei o que fazer, então circulo "concordo" para todas e entrego o meu formulário, junto com os dos outros.

+ + +

Zeke e seu par no encontro, Maria, estão encostados em uma parede no corredor ao lado do Fosso. Consigo ver suas silhuetas daqui. Parece que eles continuam grudados um no outro, como estavam há cinco minutos, quando foram até lá, rindo sem parar, como idiotas. Cruzo os braços e olho para Nicole.

— E aí — digo.

— E aí — responde ela, inclinando-se para a frente e ficando nas pontas dos pés, depois descendo novamente os calcanhares para o chão. — Isso é um tanto constrangedor, não é?

— É — concordo, aliviado. — É, sim.

— Há quanto tempo você é amigo do Zeke? — pergunta ela. — Não o vejo muito por aí.

— Algumas semanas — respondo. — Nos conhecemos durante a iniciação.

— Ah — diz ela. — Você se transferiu?

— Hum... — Não quero admitir que me transferi da Abnegação, em parte porque, sempre que admito isso, as pessoas começam a achar que sou muito certinho, e em parte porque não gosto de dar dicas para as pessoas a respeito de quem são meus pais se puder evitar. Decido mentir. — Não, eu apenas... ficava mais na minha antes, eu acho.

— Ah. — Ela semicerra um pouco os olhos. — Você deve ter feito isso muito bem.

— É uma das minhas especialidades — digo. — Há quanto tempo você é amiga da Maria?

— Desde que éramos crianças. Se ela tropeçasse, conseguiria cair em um encontro romântico com alguém — diz Nicole. — Outras, como eu, não são tão talentosas.

— É. — Balanço a cabeça. — Zeke teve que me pressionar um pouco para vir.

— É mesmo? — Nicole ergue uma sobrancelha. — Ele pelo menos mostrou no que você estava se metendo?

Ela aponta para si mesma.

— É, sim — digo. — Não sabia ao certo se você era o meu tipo, mas pensei que talvez...

— Não era o seu tipo. — De repente, ela soa fria. Tento voltar atrás.

— Quer dizer, não acho que isso seja tão importante — falo. — A personalidade é bem mais importante do que...

— Do que a minha aparência insatisfatória? — Ela levanta as duas sobrancelhas.

— Não foi isso que eu quis dizer — corrijo depressa. — Sou... muito ruim nisso.

— É — concorda ela. — Você é mesmo.

Ela pega a pequena bolsa preta no chão aos seus pés e a enfia sob o braço.

— Diga a Maria que tive que ir para casa mais cedo.

Ela se afasta do corrimão e desaparece dentro de uma das passagens perto do Fosso. Eu suspiro e olho para Zeke e Maria outra vez. Percebo, pelos movimentos leves que consigo detectar, que eles não desaceleraram nada. Tamborilo os dedos no corrimão. Agora que nosso encontro duplo se tornou um encontro constrangedor em triângulo, acho que não tem problema eu ir embora.

Vejo Shauna saindo do refeitório e aceno para ela.

— Hoje não era a noite do seu grande encontro com Ezekiel? — pergunta ela.

— *Ezekiel* — digo, contraindo o rosto. — Tinha esquecido que esse é o nome completo dele. É, meu par no encontro acabou de ir embora, irritada.

— Boa — diz ela, rindo. — Quanto tempo você durou, dez minutos?

— Cinco — digo, e começo a rir também. — Parece que sou insensível.

— Não — exclama ela, fingindo surpresa. — Você? Mas você é tão sentimental e doce.

— Muito engraçado — digo. — Onde está Lynn?

— Ela começou a discutir com o Hector. Nosso irmão mais novo. E tenho ouvido eles fazendo isso desde, bem, a minha vida inteira. Então, resolvi sair. Pensei em passar na sala de treinamento e me exercitar um pouco. Quer vir?

— Quero. Vamos lá.

Caminhamos em direção à sala de treinamento, mas então percebo que teremos que passar pelo mesmo corredor onde estão Zeke e Maria para chegar lá. Tento deter Shauna com a mão, mas é tarde demais. Ela vê os corpos dos dois apertados um contra o outro, e seus olhos se arregalam. Ela para por um instante, e ouço sons de beijos, que preferia não ter ouvido. Depois, ela continua a caminhar pelo corredor, andando tão rápido que preciso correr para alcançá-la.

— Shauna...

— Sala de treinamento — diz ela.

Quando chegamos lá, ela começa imediatamente a bater no saco de pancadas, e nunca a vi fazer isso com tanta força.

+ + +

— Embora possa parecer estranho, é importante que os membros do alto escalão da Audácia entendam como funcionam alguns dos programas — diz Max. — Dentre eles, o programa de vigilância na sala de controle, é claro. Às vezes, um líder da Audácia precisa monitorar o que acontece na facção. Há também os programas de simulação, que vocês deverão conhecer para avaliar os iniciandos da Audácia. Além disso, vocês precisarão entender como funciona o programa de rastreamento monetário, que mantém o comércio na nossa facção funcionando, entre outros. Alguns desses programas são bastante sofisticados, o que significa que vocês deverão ter facilidade em aprender a lidar com computadores, se já não souberem. É isso que faremos hoje.

Ele gesticula para uma mulher parada à sua esquerda. Eu a reconheço do jogo de Desafio. Ela é jovem, com mechas roxas no cabelo curto e mais piercings do que consigo contar.

— A Lauren aqui ensinará algumas das noções básicas, e depois nós testaremos vocês — diz Max. — Lauren é uma das nossas instrutoras de iniciação, mas, no seu tempo livre, trabalha como técnica de informática na sede da Audácia. Há um quê de Erudição nisso, mas vamos deixar passar, pelo bem da conveniência.

Max pisca para ela, e ela sorri.

— Podem começar — diz ele. — Voltarei em uma hora.

Max vai embora, e Lauren bate palmas.

— Vamos lá. Hoje vamos falar sobre como funciona a programação. Quem já tiver alguma experiência com isso pode ficar à vontade para me ignorar. Mas é melhor que os outros prestem atenção, porque não vou repetir. Aprender isso é como aprender um idioma. Não basta memorizar as palavras; é preciso também compreender as regras e por que elas funcionam dessa forma.

Quando era mais novo, trabalhei como voluntário no laboratório de informática do edifício dos Níveis Superiores para cumprir as horas obrigatórias de voluntariado da minha facção — e para sair de casa — e aprendi a montar e desmontar um computador. Mas nunca aprendi isso. A hora passa em uma confusão de termos técnicos que mal consigo acompanhar. Tento anotar algumas coisas em um pedaço de papel que encontrei no chão, mas ela fala tão rápido que minhas mãos mal conseguem seguir os meus ouvidos, então desisto depois de alguns minutos e tento apenas prestar atenção. Ela apresenta exemplos do que está falando em um monitor na frente da sala, e é difícil não se distrair com a vista das janelas atrás dela. Deste ângulo, consigo ver as silhuetas dos prédios no horizonte da cidade, as pontas do Eixo furando o céu, o pântano surgindo entre os edifícios reluzentes.

Não sou o único que parece considerar aquilo muita informação. Os outros candidatos sussurram uns para os outros, desesperados, perguntando sobre definições que não entenderam. Eric, no entanto, senta-se confortavelmente em sua cadeira, desenhando nas costas da mão. Tem um sorriso debochado. Reconheço aquele sorriso. É claro que ele já sabe tudo isso. Deve ter aprendido tudo na Erudição, provavelmente quando ainda era criança, ou não pareceria tão convencido.

Antes que eu consiga registrar a passagem de tempo, Lauren aperta um botão e o monitor sobe para dentro do teto.

— No desktop dos seus computadores, vocês encontrarão um arquivo intitulado 'Teste de Programação' — diz ela. — Abram-no. Ele os levará a um exame cronometrado. Vocês passarão por uma série de pequenos programas e marcarão os erros que encontrarem, que estiverem causando o seu mau funcionamento. Podem ser coisas muito grandes, como a ordem do código, ou coisas muito pequenas, como uma palavra ou marcação no lugar errado. Vocês não precisam consertar os erros agora, mas devem ser capazes de localizá-los. Haverá um erro por programa. Podem começar.

Todos começam a digitar freneticamente nos monitores. Eric se inclina para perto de mim e diz:

— Sua casa de Careta ao menos *tinha* um computador, Quatro?

— Não — respondo.

— Bem, veja só, é assim que se abre um arquivo — diz ele, clicando de maneira exagerada o arquivo em sua tela. — Está vendo, parece papel, mas é apenas uma imagem no monitor. Você sabe o que é um monitor, não sabe?

— Cale a boca — digo, abrindo o teste.

Encaro o primeiro programa. É como aprender um idioma, repito para mim mesmo. *Tudo precisa começar na ordem certa e terminar na ordem inversa. Apenas se certifique de que tudo está no lugar certo.*

Não começo no início do código e sigo até o fim. Em vez disso, prefiro encontrar o centro do código, dentro de todos os invólucros. Ali, noto que a linha de códigos termina no lugar errado. Marco o local e aperto o botão em forma de seta, que permitirá que eu continue o teste se estiver certo. A tela muda, apresentando um novo programa.

Ergo as sobrancelhas. Devo ter absorvido mais do que imaginei.

Começo o próximo desafio da mesma forma, seguindo do centro do código para fora, conferindo o início do programa em relação à parte final, prestando atenção a aspas, pontos e barras invertidas. Procurar erros de programação é uma atividade estranhamente tranquilizante. É apenas mais uma maneira de se certificar de que o mundo ainda está na ordem que deve. Enquanto isso acontecer, tudo correrá sem problemas.

Esqueço todas as pessoas ao meu redor, até a paisagem do lado de fora e o que significará terminar esta avaliação. Concentro-me apenas no que há diante de mim, no emaranhado de palavras no meu monitor. Percebo que Eric é o primeiro a acabar, bem antes de qualquer pessoa parecer perto de completar seu teste, mas tento não me preocupar com isso. Mesmo depois que ele decide parar ao meu lado e olhar para o meu monitor enquanto trabalho.

Finalmente, clico na seta, e uma nova imagem aparece na tela. *EXAME COMPLETO*.

— Bom trabalho — elogia Lauren, ao conferir o meu monitor. — Você foi o terceiro a terminar.

Olho para Eric.

— Espere — digo. — Você não ia me explicar o que é um monitor? Claramente, não levo o *menor* jeito para computadores, e preciso muito da sua ajuda.

Ele me lança um olhar furioso, e eu abro um sorriso.

+ + +

A porta do meu apartamento está aberta quando retorno. É apenas uma fresta, mas sei que a fechei ao sair. Empurro-a com a ponta do pé e entro com o coração a mil, esperando encontrar um invasor vasculhando as minhas coisas, embora não tenha ideia de quem poderia ser. Talvez um dos lacaios de Jeanine procurando evidências de que sou diferente como Amah era, ou Eric tentando descobrir uma maneira de armar uma emboscada contra mim. Mas o apartamento está vazio, do jeito como o deixei ao sair.

Igual, exceto por um pedaço de papel sobre a mesa. Aproximo-me devagar, como se ele estivesse prestes a entrar em combustão ou dissolver no ar. Há uma mensagem escrita no papel, em letras pequenas e inclinadas.

No dia que você mais odiou
Na hora em que ela morreu
No lugar onde você pulou pela primeira vez.

A princípio, as palavras não fazem sentido, e imagino que não passam de uma piada, algo deixado ali para mexer comigo, e funcionou, porque perco o chão. Sento-me em uma das cadeiras bambas com força, sem desgrudar os olhos do papel. Leio e releio o texto, e a mensagem começa a se formar na minha mente.

No lugar onde você pulou pela primeira vez. Isso deve se referir à plataforma de trem que subi quando me juntei à Audácia.

Na hora em que ela morreu. "Ela" só pode ser uma pessoa: minha mãe. Minha mãe morreu no meio da noite, e, quando acordei, o corpo dela já havia sido levado, carregado por meu pai e seus amigos da Abnegação. Ele disse que ela morreu por volta das duas da manhã.

No dia que você mais odiou. Essa é a parte mais difícil. Será que se refere a um dia do ano, um aniversário ou um feriado? Mas não há nenhum aniversário ou feriado por perto, e não entendo por que alguém deixaria um bilhete com tanto tempo de antecedência. Deve ser algum dia da semana, mas qual eu mais odiava? Essa é fácil. Os dias de reunião de conselho, porque meu pai chegava em casa mais tarde, de péssimo humor. Quarta-feira.

Quarta-feira, às duas da manhã, na plataforma de trem perto do Eixo. É hoje à noite. E só existe uma pessoa no mundo que saberia todas essas informações: Marcus.

+ + +

Agarro o pedaço de papel dobrado no meu punho cerrado, mas não consigo senti-lo. Minhas mãos estão formigando, quase completamente dormentes desde que pensei no nome dele.

Deixei a porta do meu apartamento escancarada, e os meus cadarços estão desamarrados. Sigo junto às paredes do Fosso sem notar a altura e corro escada acima até a Pira sem ficar tentado a olhar para baixo uma única vez. Zeke mencionou por alto a localização da sala de controle há alguns dias. Espero apenas que ele ainda esteja lá, porque precisarei da sua ajuda para acessar as imagens do corredor do lado de fora do meu apartamento. Sei onde fica a câmera, escondida no canto do corredor, onde eles acham que ninguém a notaria. Bem, eu notei.

Minha mãe também costumava perceber coisas assim. Quando caminhávamos pelo setor da Abnegação, só nós dois, ela me mostrava as câmeras, escondidas em bolhas de vidro escuro ou fixadas às curvas dos edifícios. Ela nunca disse nada a respeito delas ou demonstrou qualquer preocupação, mas sempre sabia onde estavam, e, quando passávamos por elas, fazia questão de olhar diretamente para a câmera, como se dissesse: *eu também estou te vendo*. Por isso, cresci buscando, vasculhando, à procura de detalhes nos arredores.

Subo de elevador até o quarto andar, depois sigo as placas até a sala de controle. Depois de virar em um pequeno corredor, encontro uma porta aberta. Sou recebido por uma parede de monitores. Há algumas poucas pessoas sentadas atrás dela, em mesas, e há outras mesas ao longo das paredes, onde mais pessoas estão sentadas, cada uma com seu próprio monitor. A imagem nas telas muda a cada cinco minutos, mostrando diferentes partes da cidade: os campos da Amizade, as ruas ao redor do Eixo, o complexo da Audácia e até o Merciless Mart, com seu enorme saguão. Vejo o setor da Abnegação de relance em um dos monitores, depois saio do estado de torpor e procuro Zeke. Ele está sentado a uma mesa na parede direita, digitando algo em uma caixa de diálogo na metade esquerda do seu monitor, enquanto imagens do Fosso passam na metade. Todos na sala usam fones de ouvido. Imagino que eles escutem o que estão assistindo.

— Zeke — chamo baixinho. Alguns dos outros olham para mim, como se estivessem irritados com a minha intromissão, mas ninguém fala nada.

— Ei! — diz ele. — Que bom que você veio. Estou completamente entediado e... O que houve?

Ele olha para o meu rosto, depois para o meu punho, ainda agarrando o papel. Não sei como explicar, então nem tento.

— Preciso ver as imagens do corredor do lado de fora do meu apartamento. Das últimas quatro horas, mais ou menos. Você pode me ajudar?

— Por quê? — pergunta Zeke. — O que aconteceu?

— Alguém esteve no meu apartamento. Quero saber quem foi.

Ele olha ao redor, para se certificar de que ninguém está observando. Ou ouvindo.

— Ouça, não posso fazer isso. Nem a gente tem permissão de acessar imagens específicas, a não ser quando notamos algo estranho. Fica tudo em rotação...

— Você me deve um favor, lembra? Só estou pedindo porque é importante.

— Eu sei. — Zeke olha ao redor outra vez, depois fecha a caixa de diálogo que estava na tela e abre outra. Vejo o código que ele digita para acessar o material certo e me surpreendo por entender parte dele depois de apenas um dia de aula. Uma imagem aparece no monitor, de um dos corredores da Audácia, perto do refeitório. Ele clica nela, que é substituída por outra, do interior do refeitório; a outra é do estúdio de tatuagem, depois do hospital.

Ele continua vasculhando o complexo da Audácia, e assisto às imagens que passam no monitor, mostrando vislumbres da vida comum da Audácia: pessoas cutucando seus piercings enquanto esperam na fila por roupas novas, pessoas praticando golpes na sala de treinamento. Vejo uma imagem rápida de Max no que parece ser o seu escritório, sentado em uma das cadeiras e de frente para uma mulher. Uma mulher com cabelo loiro preso em um coque apertado. Levo a mão ao ombro de Zeke.

— Espere. — De repente, o papel na minha mão parece menos importante. — Volte.

Ele volta, e confirmo a minha suspeita: Jeanine Matthews está no escritório de Max com uma pasta no colo. Suas roupas estão perfeitamente passadas, sua postura é ercta. Arranco os fones de ouvido da cabeça de Zeke, e ele me encara, irritado, mas não me detém.

Max e Jeanine conversam baixinho; mesmo assim, consigo ouvi-los.

— Reduzi o número a seis — diz Max. — Eu diria que isso não é nada mal para, o quê? O segundo dia?

— Isso não é eficiente — afirma Jeanine. — Já temos um candidato. Eu me certifiquei disso. Esse sempre foi o plano.

— Você nunca me perguntou o que eu achava do plano, e esta é a minha facção — diz Max com severidade. — Não gosto do garoto e não quero passar todos os meus dias trabalhando com uma pessoa de quem não gosto. Portanto, você terá que permitir que eu pelo menos tente encontrar outra pessoa que satisfaça todos os critérios...

— Está bem. — Jeanine se levanta, apertando a pasta contra a barriga. — Mas, quando você falhar, vou querer que admita seu erro. Não tenho a menor paciência para o orgulho da Audácia.

— Claro, porque a Erudição é um exemplo de humildade — diz Max, de maneira amarga.

— Ei — sussurra Zeke. — Meu supervisor está olhando. Devolva os meus fones de ouvido.

Ele os arranca da minha cabeça, e eles batem nas minhas orelhas, machucando-as.

— Você precisa sair daqui, ou perderei o meu emprego — pede Zeke.

Ele parece sério e preocupado. Não reclamo, apesar de não ter descoberto o que queria saber. Afinal, a culpa foi minha por ter me distraído. Escapo da sala de controle com a cabeça a mil, uma parte de mim ainda apavorada com a ideia de que meu pai esteve no meu apartamento e quer me encontrar sozinho em uma rua abandonada no meio da noite, e a outra parte confusa com o que acabei de ouvir. *Já temos um candidato. Eu me certifiquei disso.* Eles provavelmente se referiam ao candidato para a liderança da Audácia.

Mas por que Jeanine Matthews está preocupada com quem será escolhido como novo líder da Audácia?

Sigo todo o percurso de volta para o meu apartamento de forma automática, depois me sento na beirada da cama e encaro a parede. Não consigo parar de nutrir pensamentos distintos, mas igualmente frenéticos. *Por que Marcus quer se encontrar comigo? Por que a Erudição está tão envolvida nas questões políticas da Audácia? Será que Marcus quer me matar sem testemunhas, ou será que quer me alertar a respeito de alguma coisa, ou me ameaçar...? Quem era o candidato sobre quem eles estavam falando?*

Pressiono a palma da minha mão contra a testa e tento me acalmar, embora sinta cada pensamento nervoso como uma pontada na nuca. Não posso fazer nada a respeito de Max e Jeanine por enquanto. O que preciso decidir agora é se vou ou não para esse encontro hoje à noite.

No dia que você mais odiou. Nunca percebi que Marcus me notava, notava as coisas de que eu gostava ou que eu odiava. Ele parecia apenas me ver como um incômodo, um desconforto. Mas, afinal, não descobri há algumas semanas que ele sabia que as simulações não funcionariam comigo e que tentou evitar que eu corresse perigo? Talvez, apesar de todas as coisas horríveis que ele fez e disse para mim, haja uma parte dele que é realmente o meu pai. Talvez seja essa a parte que esteja me chamando para um encontro, e ele esteja tentando me mostrar isso, demonstrando que me conhece, que sabe o que odeio, o que amo, o que temo.

Não sei bem por que esse pensamento me enche tanto de esperança após eu tê-lo odiado por um longo tempo. Mas, assim como existe uma parte dele que é realmente o meu pai, talvez exista uma parte de mim que seja de fato seu filho.

+ + +

O calor do sol continua a emanar da calçada à uma e meia da manhã, quando deixo o complexo da Audácia. Sinto-o nas pontas dos dedos. A lua está encoberta por nuvens, por isso a rua está mais escura do que o normal, mas não tenho medo do escuro ou das ruas, não mais. Essa é uma das coisas que se aprende batendo em um monte de iniciandos da Audácia.

Inalo o cheiro de asfalto quente e começo a correr devagar, os tênis batendo no chão. As ruas ao redor do setor da Audácia estão vazias; minha facção vive amontoada em um único lugar, como uma matilha de cães dormindo. É por isso, acho, que Max pareceu tão preocupado com o fato de eu querer morar sozinho. Se eu realmente pertencesse à Audácia, será que não deveria querer que minha vida se misturasse às deles o máximo possível, será que não deveria estar procurando maneiras de penetrar ainda mais na minha facção, até nos tornarmos inextricáveis?

Penso no assunto enquanto corro. Talvez ele tenha razão. Talvez eu não esteja me integrando muito bem, talvez não esteja me esforçando o bastante. Encontro um ritmo estável de corrida, semicerrando os olhos a fim de ler as placas com os nomes das ruas ao passar por elas, para não me perder. Sei quando alcanço o conjunto de edifícios ocupados pelos sem-facção porque consigo ver suas sombras se movimentando atrás das janelas pintadas de preto ou cobertas por tábuas. Movimento-me para correr sob os trilhos, com as madeiras em treliça se estendendo bem à minha frente, curvando-se para longe da rua.

O Eixo cresce mais e mais à medida que me aproximo. Meu coração está disparado, mas acho que não é por causa da corrida. Paro de repente ao alcançar a plataforma de trem e, ao pé da escada, enquanto recupero o fôlego, lembro-me da primeira vez que subi estes degraus, do mar de integrantes da Audácia que gritava e se movia ao meu redor, empurrando-me para a frente. Naquele instante, foi fácil ser carregado pela multidão. Agora, eu mesmo preciso me impulsionar adiante. Começo a subir, com meus pés ecoando no metal, e, ao chegar no topo, confiro o relógio.

Duas horas.

Mas a plataforma está vazia.

Caminho de um lado para o outro da plataforma, para me certificar de que nenhuma figura obscura está escondida em algum canto escuro. Um trem ronca a distância, e paro para olhar a luz fixada na sua dianteira. Não sabia que os trens funcionavam tão tarde. Toda a energia da cidade deveria ser desligada depois da meia-noite, para ser conservada. Será que Marcus pediu um favor especial para os sem-facção? Mas por que ele viajaria de trem? O Marcus

Eaton que conheço nunca ousaria se associar tanto com a Audácia. Ele preferiria caminhar descalço pelas ruas.

O farol pisca uma única vez antes de passar pela plataforma. O trem ressoa e se agita, desacelerando mas sem parar, e vejo uma pessoa saltar do penúltimo vagão, esguia e frágil. Não é Marcus. É uma mulher.

Aperto o papel com mais força no punho, depois com mais força ainda, até que as juntas dos meus dedos doem.

A mulher caminha na minha direção, e, quando está a poucos metros de distância, consigo vê-la. Seu cabelo é longo e encaracolado. O nariz é grande e curvado. Ela usa calças pretas da Audácia, camisa cinza da Abnegação e botas marrons da Amizade. Seu rosto é marcado, cansado e magro. Mas eu a conheço, nunca esqueceria o seu rosto, minha mãe, Evelyn Eaton.

— Tobias — diz ela, sem fôlego, com os olhos arregalados, como se estivesse tão surpresa com a minha presença quanto estou com a dela, mas é impossível. Ela sabia que eu estava vivo, mas eu me lembro da urna com suas cinzas sobre a lareira do meu pai, marcada com as impressões digitais dele.

Lembro-me do dia em que acordei e encontrei um grupo de membros da Abnegação com cara de velório na cozinha do meu pai, e de como todos levantaram a cabeça quando entrei, e Marcus me explicou, com uma compaixão que certamente ele não sentia, que minha mãe falecera no meio da noite, de complicações de um parto prematuro e um aborto espontâneo.

Ela estava grávida?, lembro-me de perguntar.

É claro que estava, filho. Ele se virou para as pessoas na nossa cozinha. *Ele está apenas em choque, é claro. É normal, em uma situação como esta.*

Lembro-me de sentar com um prato cheio de comida, na sala de estar, com um grupo de membros da Abnegação conversando em voz baixa ao meu redor, de todos os vizinhos empacotando a minha casa até ficar tudo arrumadinho e de ninguém falar nada que importasse para mim.

— Sei que isso deve ser... chocante para você — diz ela. Quase não reconheço a sua voz; está mais grave, forte e dura do que nas memórias que tenho dela, e é assim que percebo que os anos a mudaram. Sinto coisas demais para controlar, é tudo poderoso demais para que eu possa lidar, mas, de repente, não sinto mais nada.

— Você deveria estar morta — digo, de maneira inexpressiva. É uma coisa idiota de se dizer. É uma coisa tão idiota de se dizer à própria mãe depois de ela ressuscitar, mas é uma situação idiota.

— Eu sei — responde ela, e acho que vejo lágrimas nos seus olhos, mas está escuro demais para saber. — Mas não estou.

— Dá para perceber. — A voz que sai da minha boca é sarcástica, casual. — Você estava realmente grávida?

— Grávida? Foi isso que eles disseram, que eu morri dando à luz? — Ela balança a cabeça. — Não, eu não estava. Eu planejava a minha fuga havia semanas. Eu precisava desaparecer. Pensei que ele talvez lhe contasse a verdade quando você ficasse mais velho.

Solto uma risada breve, como um latido.

— Você pensou que *Marcus Eaton* admitiria que sua mulher o deixou. Para mim.

— Você é filho dele — diz Evelyn, franzindo a testa. — Ele te ama.

De repente, toda a tensão da última hora, das últimas semanas, dos últimos *anos* cresce dentro de mim, grande demais para ser contida, e eu realmente caio na gargalhada, mas minha risada sai estranha, mecânica. Ela me assusta, apesar de sair da minha própria boca.

— Você tem todo o direito de sentir raiva por terem mentido para você. Eu também sentiria. Mas, Tobias, eu precisava ir embora, e sei que você entende o motivo...

Ela estende a mão para mim, e eu agarro o seu punho, empurrando-a para longe.

— Não toque em mim.

— Está bem, está bem. — Ela levanta as mãos e se afasta. — Mas você entende, tenho certeza.

— O que *entendo* é que você me deixou sozinho em uma casa com um maníaco sádico — digo.

Parece que algo dentro dela está ruindo. Suas mãos desabam como pesos. Seus ombros se curvam. Até o rosto dela murcha quando ela se dá conta do que eu quis dizer, do que eu certamente quis dizer com aquilo. Cruzo os braços e jogo os ombros para trás, tentando parecer maior, mais forte e mais valente. Agora isso é mais fácil, vestindo o preto da Audácia, do que jamais foi com o cinza da Abnegação, e talvez seja *por isso* que escolhi a Audácia como refúgio. Não foi por rancor nem para machucar

Marcus, mas apenas porque sabia que esta vida me ensinaria a ser uma pessoa mais forte.

— Eu...

— Pare de me fazer perder tempo. O que estamos fazendo aqui? — Jogo o bilhete amassado no chão entre nós e levanto as sobrancelhas ao olhar para ela. — Faz sete anos que você morreu, e você nunca tentou fazer esta revelação dramática antes, então, o que há de diferente agora?

Ela não responde de imediato. Em seguida, ela claramente se recompõe e diz:

— Nós, os sem-facção, gostamos de ficar de olho nas coisas. Como na Cerimônia de Escolha. Desta vez, nosso olheiro me disse que você escolheu a Audácia. Eu mesma teria ido, mas não queria correr o risco de dar de cara com *ele*. Eu me tornei... uma espécie de líder dos sem-facção, e é importante que eu não me exponha.

Sinto um gosto amargo na boca.

— Veja só. Como tenho pais importantes. Sou tão sortudo.

— Você não é assim — diz ela. — Existe pelo menos uma parte de você que está feliz em me ver de novo?

— Feliz em ver você de novo? Eu quase não me lembro de você, Evelyn. Vivi praticamente o mesmo tempo sem você do que com você.

O rosto dela se contorce. Eu a feri. Fico satisfeito.

— Quando você escolheu a Audácia — continua ela bem devagar —, eu percebi que era a hora de entrar em contato com você. Sempre planejei reencontrá-lo depois que tivesse feito sua escolha e estivesse vivendo por conta própria, para convidá-lo a se juntar a nós.

— Juntar-me a vocês. Tornar-me um sem-facção? Por que eu faria isso?

— Nossa cidade está mudando, Tobias. — É a mesma coisa que Max falou ontem. — Os sem-facção estão se unindo, assim como a Audácia e a Erudição. Em breve, todos terão que escolher um lado, e sei em qual lado você preferirá estar. Acho que você realmente pode fazer a diferença conosco.

— *Você* sabe em qual lado eu preferirei estar. Sério? Não sou um traidor de facção. Escolhi a Audácia; lá é o meu lugar.

— Você não é um daqueles tolos desmiolados e viciados em adrenalina — diz ela, irritada. — Assim como você não era um robô sufocado e Careta. Você pode ser mais do que qualquer um dos dois, melhor do que qualquer facção.

— Você não tem a menor ideia do que eu sou e de quem posso ser. Fiquei em primeiro lugar entre os iniciandos. Eles querem que eu seja um líder da Audácia.

— Não seja ingênuo — dispara ela, semicerrando os olhos. — Eles não querem um novo líder; querem um fantoche que possam manipular. É por isso que Jeanine Matthews frequenta a sede da Audácia, é por isso que ela continuamente planta seguidores na sua facção, para que relatem a ela as suas atividades. Ou você ainda não percebeu que ela parece saber de coisas sobre as quais não tem o menor direito de saber, ou que eles vivem mudando o treinamento da Audácia, fazendo experimentos com ele? Como se os membros da Audácia fossem mudar qualquer coisa assim, por conta própria.

Amah nos disse que as paisagens do medo não costumavam ser a primeira etapa da iniciação da Audácia, que isso era algo novo que estavam testando. Um experimento. Mas ela tem razão; a Audácia não realiza experimentos. Se eles realmente estivessem preocupados com praticidade e eficiência, não se dariam o trabalho de nos ensinar a lançar facas.

Além disso, há Amah, que apareceu morto. Eu mesmo não acusei Eric de ser um informante? Não tenho desconfiado há semanas de que ele continua em contato com a Erudição?

— Mesmo que você esteja certa — digo, e toda a energia maliciosa já se esvaiu de mim. Aproximo-me dela. — Mesmo que você esteja certa a respeito da Audácia, nunca me juntaria a você. — Tento controlar a minha voz quando completo: — Nunca mais quero te ver.

— Não acredito em você — diz ela baixinho.

— Não me importo com o que você acredita ou não.

Passo por ela e sigo até a escada por onde cheguei na plataforma.

— Se você mudar de ideia, qualquer mensagem entregue a um sem-facção chegará até mim — grita ela.

Não olho para trás. Corro escada abaixo, depois disparo pela rua, para longe da plataforma. Nem sei se estou indo na direção certa. Só sei que quero estar o mais longe possível dela.

+ + +

Não consigo dormir.

Caminho de um lado para o outro dentro do meu apartamento, frenético. Retiro os resquícios da minha vida na Abnegação das gavetas e os jogo no lixo: a camisa rasgada, as calças, os sapatos, as meias e até o meu relógio. A certa altura, por volta do nascer do sol, lanço minha máquina de cortar cabelo contra a parede do chuveiro, e ela quebra em vários pedaços.

Uma hora depois do alvorecer, entro no estúdio de tatuagem. Tori já está lá. Bem, "estar lá" talvez seja exagero, porque seus olhos estão inchados de sono e desconcentrados, e ela só está começando a tomar seu café.

— Algum problema? — pergunta ela. — Não cheguei ainda. Marquei de correr com o Bud, aquele maníaco.

— Esperava que você abrisse uma exceção para mim — digo.

— Poucas pessoas vêm aqui com pedidos urgentes de tatuagens.

— Há uma primeira vez para tudo.

— Está bem. — Ela se levanta, mais alerta. — Tem alguma ideia do que quer fazer?

— Quando passamos pelo seu apartamento, há algumas semanas, vi um desenho lá. Tinha todos os símbolos das facções juntos. Você ainda tem aquele desenho?

Ela fica tensa.

— Você não deveria ter visto aquilo.

Sei por que eu não deveria ter visto o desenho; por que não é algo que ela queira tornar público. Ele sugere inclinações a outras facções, em vez de afirmar a supremacia da

Audácia, como suas tatuagens deveriam fazer. Até membros antigos da Audácia se preocupam em se provar, e não entendo por que isso acontece, que ameaças são feitas àqueles que são chamados de "traidores da facção", mas é exatamente por isso que estou aqui.

— A questão é mais ou menos essa. Quero fazer aquela tatuagem.

Pensei nisso no caminho de volta para casa, enquanto ruminava o que minha mãe disse. *Você pode ser mais do que qualquer um dos dois, melhor do que qualquer facção.* Ela pensou que, para me tornar mais do que qualquer facção, eu teria que abandonar este lugar e as pessoas que me aceitaram como uma delas; teria que perdoá-la e me deixar ser engolido por suas crenças e seu estilo de vida. Mas não preciso ir embora ou fazer algo que não queira. Posso ser mais do que qualquer facção aqui mesmo, na Audácia; talvez eu já seja mais, e agora seja a hora de mostrar isso.

Tori olha ao redor, e seus olhos param na câmera no canto, que notei ao entrar. Ela também é do tipo que percebe câmeras.

— Era só um desenho idiota — diz ela, bem alto. — Vamos, você está claramente chateado. Podemos conversar sobre isso e descobrir algo melhor para você fazer.

Ela me chama para o fundo do estúdio, passando pela sala de depósito, até o apartamento dela. Atravessamos a cozinha dilapidada e chegamos à sala de estar, onde seus desenhos continuam empilhados na mesa de centro.

Ela vasculha as páginas até encontrar um desenho igual ao que eu estava falando: as chamas da Audácia sendo aninhadas pelas mãos da Abnegação, as raízes da árvore da Amizade crescendo sob o olho da Erudição, que está equilibrado sob as balanças da Franqueza. Todos os símbolos das facções, empilhados uns sobre os outros. Ela o levanta, e eu concordo com a cabeça.

— Não posso fazer isso em um lugar onde as pessoas vejam o tempo todo — diz ela. — Isso o tornaria um alvo ambulante. Um suspeito de trair a facção.

— Quero que você faça nas minhas costas. Cobrindo a minha coluna.

As feridas do meu último dia com meu pai já estão curadas, mas quero me lembrar de onde elas estavam; quero me lembrar do que escapei pelo resto da vida.

— Você realmente não faz nada pela metade, não é? — Ela suspira. — Vai demorar muito tempo. Várias sessões. Teremos que fazer a tatuagem aqui, de madrugada, porque não vou deixar que as câmeras nos filmem, mesmo que eles não se preocupem em olhar aqui quase nunca.

— Está bem.

— Sabe, o tipo de pessoa que faz uma tatuagem assim é provavelmente aquela que deveria mantê-la em segredo — diz ela, olhando para mim pelo canto do olho. — Ou vão começar a pensar que ela é um Divergente.

— Divergente?

— É a palavra que usamos para descrever pessoas que ficam conscientes durante as simulações, que se recusam a ser categorizadas. Uma palavra que você não deve falar à toa, porque pessoas assim costumam morrer sob circunstâncias misteriosas.

Ela mantém os cotovelos apoiados nos joelhos, de maneira casual, enquanto desenha a tatuagem que quero em um papel de transferência. Nossos olhos se encontram, e eu entendo: Amah. Amah conseguia manter a consciência durante as simulações, e agora ele está morto.

Amah era um Divergente.

Assim como eu.

— Obrigado pela aula de vocabulário.

— Sem problemas. — Ela volta a desenhar. — Estou começando a achar que você gosta de sentir dor.

— E daí? — pergunto.

— Nada, é só uma qualidade bem particular da Audácia, para uma pessoa que tirou a Abnegação como resultado. — A boca dela treme. — Vamos começar. Vou deixar um bilhete para o Bud; ele poderá correr sozinho desta vez.

+ + +

Talvez Tori tenha razão. Talvez eu realmente goste de sentir dor; talvez haja um lado masoquista dentro de mim que usa a dor para lidar com a dor. A queimação fraca que me acompanha no dia seguinte durante o treinamento de liderança certamente torna mais fácil manter o foco no que tenho que fazer, e não na voz fria e grave da minha mãe, e na maneira como a afastei quando ela tentou me consolar.

Nos anos seguintes à sua morte, eu costumava sonhar que ela voltaria à vida no meio da noite, passaria a mão pelo meu cabelo e diria algo reconfortante, mas sem sentido, como "Tudo vai ficar bem" ou "Tudo vai melhorar um dia".

Depois, no entanto, parei de me permitir sonhar, porque era mais doloroso ansiar por coisas que nunca conseguiria do que lidar com o que estava diante de mim. Ainda não quero imaginar como seria me reconciliar com ela, como seria ter uma mãe. Estou velho demais para ouvir coisas reconfortantes e sem sentido. Velho demais para acreditar que tudo vai ficar bem.

Confiro a parte de cima do curativo que sai da gola da minha camisa, para ver se ele está bem preso. Tori delineou os dois primeiros símbolos esta manhã, da Audácia e da Abnegação, que serão maiores do que os outros, porque representam a facção que escolhi e a facção para a qual de fato tenho aptidão, respectivamente. Pelo menos, acho que tenho aptidão para a Abnegação, mas é difícil ter certeza. Ela me pediu para manter os símbolos escondidos. Quando estou de camisa, o único desenho que fica à mostra são as chamas da Audácia, e raramente sou obrigado a tirar a camisa em público; então acho que isso não será um problema.

Todos os outros já chegaram à sala de conferências, e Max está conversando com eles. Sinto um cansaço indiferente quando atravesso a porta e me sento. Evelyn estava errada sobre várias coisas, mas não a respeito da Audácia. Jeanine e Max não querem um líder. Eles querem um fantoche, e é por isto que estão escolhendo entre os mais jovens: porque jovens são mais fáceis de manipular e moldar. Não serei moldado e manipulado por Jeanine Matthews. Não serei um fantoche, nem para eles, nem para a minha mãe, nem para o meu pai. Não pertencerei a ninguém a não ser a mim mesmo.

— Que bom que você chegou — diz Max. — Esta reunião atrapalhou o seu sono?

Os outros dão risadinhas, e Max continua:

— Como eu estava dizendo, hoje eu gostaria de ouvir suas ideias sobre como melhorar a Audácia, as suas visões para a nossa facção nos próximos anos. Eu me reunirei com vocês em grupos divididos pela faixa etária, começando pelos mais velhos. Os outros podem ir pensando em algo bom para dizer.

Ele deixa a sala com os três candidatos mais velhos. Eric está bem na minha frente, e percebo que ele tem mais metal pendurado no rosto do que da última vez que o vi. Agora, argolas atravessam suas sobrancelhas. Daqui a pouco ele vai parecer mais uma alfineteira do que um ser humano. Talvez esta seja a questão: estratégia. Ninguém que olhasse para ele agora o confundiria com alguém da Erudição.

— Será que estou enganado, ou você está realmente atrasado porque estava fazendo uma tatuagem? — diz ele, apontando para a ponta do curativo visível no meu ombro.

— Perdi a hora. Parece que uma quantidade enorme de metal grudou no seu rosto ultimamente. É melhor você consultar um médico.

— Muito engraçado — diz Eric. — Não sabia que uma pessoa com o seu histórico era capaz de desenvolver senso de humor. Seu pai não parece ser o tipo de pessoa que permitiria isso.

Sinto uma pontada de medo. Ele está muito perto de dizer o meu nome na frente desta sala cheia de gente, e quer que eu saiba disso. Quer que eu lembre que ele sabe quem eu sou e que pode usar isso contra mim quando bem entender.

Não posso fingir que não me importo. A dinâmica de poder mudou, e não consigo alterá-la de novo.

— Acho que sei quem te contou isso — digo. Jeanine sabe meu nome e meu sobrenome. Ela deve ter revelado os dois para ele.

— Eu já suspeitava — comenta ele, baixinho. — Mas é verdade, minhas suspeitas foram confirmadas por uma fonte confiável. Você não sabe manter segredos tão bem quanto pensa, Quatro.

Eu o ameaçaria, diria a ele que, se revelar o meu nome aos membros da Audácia, revelarei sua conexão duradoura com a Erudição. Mas não tenho provas, e, de qualquer maneira, os membros da Audácia gostam menos da Abnegação do que da Erudição. Recosto-me na cadeira e espero.

Os outros deixam a sala ao serem chamados, e logo só sobramos nós dois. Max desce o corredor e nos chama da porta, sem uma única palavra. Nós o seguimos até seu escritório, que reconheço das imagens que vi ontem da reunião dele com Jeanine Matthews. Uso a lembrança daquela conversa a fim de me preparar para o que virá a seguir.

— Então. — Max cruza as mãos sobre a mesa, e, mais uma vez, fico surpreso em vê-lo em um ambiente tão limpo e formal. Ele fica mais natural dentro de uma sala de treinamento, batendo no saco de pancadas, ou perto do Fosso, debruçando-se sobre o corrimão. Não sentado em uma mesa baixa de madeira, rodeado de papéis.

Olho pelas janelas da Pira e observo o setor da Audácia. A alguns metros de distância, vejo a beirada do buraco para dentro do qual pulei quando escolhi a Audácia e o telhado onde estava logo antes de fazê-lo. *Escolhi a Audácia*, eu disse para a minha mãe ontem. *Lá é o meu lugar.*

Será que isso realmente é verdade?

— Eric, vamos começar por você — diz Max. — Você tem alguma ideia que poderia ser boa para a Audácia, no futuro?

— Tenho. — Eric ajeita o corpo na cadeira. — Acho que deveríamos fazer algumas mudanças e que elas deveriam começar pela iniciação.

— Que tipo de mudanças você tem em mente?

— A Audácia sempre adotou um espírito de competitividade — diz Eric. — A competitividade nos torna melhores; ela expõe nosso melhor e nossa maior força. Acho que a iniciação deveria incentivar esse sentimento de competitividade mais do que faz hoje em dia. Atualmente, os iniciandos estão competindo apenas contra o sistema, tentando atingir determinada nota para conseguir seguir adiante. Acho que eles deveriam estar competindo uns contra os outros pelas vagas na Audácia.

Não consigo me conter; viro-me e o encaro. Um número limitado de vagas? Em uma facção? Depois de apenas *duas semanas* de treinamento de iniciação?

— E se eles não conseguirem uma vaga?

— Eles se tornam sem-facção — diz Eric. Engulo uma risada irônica. Ele continua: — Se acreditamos que a Audácia realmente é uma facção superior, que seus objetivos são mais importantes do que os objetivos das outras facções, então tornar-se um de nós deveria ser uma honra e um privilégio, e não um direito.

— Você só pode estar brincando — digo, sem conseguir mais me segurar. — As pessoas escolhem uma facção porque valorizam as mesmas coisas que aquela facção, e não por já dominarem o que aquela facção ensina. Você expulsaria pessoas da Audácia só por não conseguirem saltar de um trem ou vencer uma luta. Você favoreceria os grandes, fortes e imprudentes mais do que os pequenos, espertos e corajosos. Isso não melhoraria em nada a Audácia.

— Tenho certeza de que os pequenos e espertos se dariam melhor na Erudição, ou como pequenos Caretas vestidos de cinza — diz Eric com um sorriso debochado. — E acho que você não está dando crédito suficiente aos nossos possíveis futuros membros da Audácia, Quatro. Esse sistema favoreceria apenas os mais determinados.

Olho para Max. Espero que ele pareça indiferente ao plano de Eric, mas não. Ele está inclinado para a frente, focado no rosto perfurado de Eric como se algo nele o tivesse inspirado.

— Este é um debate interessante — diz ele. — Quatro, como você melhoraria a Audácia sem tornar a iniciação mais competitiva?

Balanço a cabeça, olhando novamente pela janela. *Você não é um daqueles tolos desmiolados e viciados em adrenalina*, minha mãe me disse. Mas é esse tipo de pessoa que Eric quer na Audácia: tolos desmiolados e viciados em adrenalina. Se Eric é um dos lacaios de Jeanine Matthews, por que ela o encorajaria a propor um plano assim?

Ah! Porque tolos desmiolados e viciados em adrenalina são mais fáceis de controlar, mais fáceis de manipular. É claro.

— Eu melhoraria a Audácia incentivando a verdadeira coragem, e não a estupidez e a brutalidade. Eu excluiria o lançamento de facas. Prepararia as pessoas física e mentalmente para defender os fracos dos fortes. É isto que prega o nosso manifesto: atos comuns de bravura. Acho que deveríamos voltar a isso.

— Depois poderíamos todos dar as mãos e cantar juntos, não é? — Eric revira os olhos. — Você quer transformar a Audácia na Amizade.

— Não. Quero me certificar de que ainda conseguimos pensar por nós mesmos, pensar em algo além da próxima onda de adrenalina. Ou apenas pensar e ponto final. Assim, não poderemos ser dominados ou... controlados por forças externas.

— Isso me soa como algo da Erudição — diz Eric.

— A capacidade de pensar não é uma exclusividade da Erudição — respondo, irritado. — A capacidade de pensar sob pressão é exatamente o que as simulações de medo deveriam desenvolver.

— Está bem, está bem — diz Max, levantando as mãos. Ele parece preocupado. — Quatro, lamento dizer, mas você está soando um pouco paranoico. Quem nos dominaria ou tentaria nos controlar? As facções têm coexistido pacificamente há mais tempo do que você está vivo, e não há qualquer motivo para que isso mude agora.

Abro a boca para falar que ele está errado, que no momento em que deixou Jeanine Matthews se envolver nas questões da nossa facção, quando permitiu que ela plantasse transferidos leais à Erudição no nosso programa de iniciação e começou a se consultar com ela a respeito de quem deveria selecionar como o próximo líder da Audácia, ele comprometeu o sistema de equilíbrio de poder que tem permitido a nossa coexistência pacífica durante tanto tempo. Mas então percebo que falar isso seria como o acusar de traição, além de revelar o quanto eu sei.

Max olha para mim, e vejo decepção no seu rosto. Sei que ele gosta de mim. Gosta mais de mim do que de Eric, pelo menos. Mas minha mãe tinha razão ontem. Max não quer alguém como eu, alguém que consiga pensar por conta própria, desenvolver seus próprios valores. Ele quer alguém como Eric, que o ajudará a desenvolver os novos valores da Audácia, que será mais fácil de manipular simplesmente por continuar sob o controle de Jeanine Matthews, alguém que esteja bem alinhado com Max.

Minha mãe me apresentou duas opções ontem: ser um fantoche da Audácia ou me tornar um sem-facção. Mas existe uma terceira opção: não ser nenhum dos dois. Não me alinhar a ninguém em particular. Viver fora do radar e ser livre. É isso que realmente quero. Livrar-me de todas as pessoas que querem me formar e moldar, uma por uma, e aprender a moldar a mim mesmo.

— Para ser honesto, senhor, acho que este não é o lugar certo para mim — digo calmamente. — Eu disse, quando você me convidou, que gostaria de ser um instrutor, e estou percebendo cada vez mais que a minha aptidão é para uma profissão assim.

— Eric, você poderia nos dar licença, por favor? — diz Max. Quase sem conseguir controlar sua alegria, Eric assente e sai. Não o vejo indo embora, mas apostaria todos os meus créditos da Audácia que ele está saltitando pelo corredor.

Max se levanta e senta ao meu lado, na cadeira de onde Eric acabou de sair.

— Espero que você não esteja dizendo isso só porque o acusei de estar sendo paranoico — diz Max. — Só fiquei preocupado com você. Temi que a pressão o estivesse afetando, fazendo com que você parasse de pensar direito. Ainda o considero um forte candidato para a liderança. Você se encaixa no perfil, demonstrou competência em tudo que ensinamos e, além disso, francamente, você é mais simpático do que alguns dos nossos outros candidatos promissores, o que é importante em um ambiente fechado de trabalho.

— Obrigado. Mas você tem razão, a pressão realmente está me afetando. E, se eu me tornasse um líder, a pressão seria muito maior.

Max concorda com a cabeça, triste.

— Bem. — Ele assente outra vez. — Se você quiser ser um instrutor de iniciação, posso acertar isso para você. Mas é um trabalho sazonal. Onde você gostaria de trabalhar durante o resto do ano?

— Pensei em talvez trabalhar na sala de controle — respondo. — Descobri que gosto de mexer em computadores. Acho que não gostaria nem um pouco de patrulhar.

— Está bem — diz Max. — Pode deixar comigo. Obrigado por ser honesto.

Levanto-me, e tudo o que sinto é alívio. Ele parece preocupado comigo, compreensivo. Não parece suspeitar de mim, dos meus motivos ou da minha paranoia.

— Se você mudar de ideia algum dia — diz Max —, por favor, não hesite em falar comigo. Poderíamos sempre usar alguém como você.

— Obrigado — digo, e apesar de ele ser o pior traidor de facção que já conheci e, provavelmente, ter um pouco de culpa pela morte de Amah, não consigo deixar de me sentir um pouco grato a ele, por me deixar ir embora tão facilmente.

+ + +

Eric está esperando por mim quando viro o corredor. Tento passar por ele, mas ele agarra o meu braço.

— Cuidado, Eaton — murmura ele. — Se qualquer coisa a respeito do meu envolvimento com a Erudição escapar da sua boca, você não vai gostar do que acontecerá com você.

— Você também não vai gostar do que acontecerá com você se me chamar assim outra vez.

— Logo, serei um dos seus líderes — diz Eric com uma risadinha debochada. — E, acredite em mim, vou ficar de olho em você e na maneira como implementará os meus novos métodos de treinamento.

— Ele não gosta de você, sabia? — digo. — O Max. Ele preferiria qualquer pessoa a você. Ele não lhe dará liberdade alguma. Então, boa sorte com a sua coleirinha.

Eu me desvencilho e caminho até os elevadores.

+ + +

— Cara — diz Shauna. — *Isso* é que é um dia ruim.

— É.

Estou sentado com ela, e nossos pés estão pendurados no abismo. Encosto a cabeça nas barras da grade de metal que nos impede de cair e morrer, e sinto os respingos da água nos meus calcanhares quando uma das ondas maiores bate no muro.

Contei a ela sobre ter saído do treinamento de liderança e sobre a ameaça de Eric, mas não sobre a minha mãe. Como contar a alguém que sua mãe acabou de ressuscitar?

Durante toda a minha vida, sempre houve alguém tentando me controlar. Marcus era um tirano na nossa casa, e nada acontecia sem a sua permissão. Depois, Max quis me recrutar como seu fantoche da Audácia. E até a minha mãe tinha um plano pra mim, que eu me juntasse a ela quando atingisse certa idade para lutar contra o sistema de facções, contra o qual *ela* tem uma vendeta, seja lá por qual motivo. E, logo quando pensei ter escapado completamente do controle dos outros, Eric apareceu para me lembrar de que, se ele se tornar líder da Audácia, ficará de olho em mim.

173

Percebo que tudo o que tenho são os pequenos momentos de rebeldia que consigo encontrar, exatamente como quando era da Abnegação e coletava objetos que encontrava na rua. A tatuagem que Tori está fazendo nas minhas costas, a que pode revelar que sou Divergente, representa um desses momentos. Precisarei procurar por mais deles, mais momentos breves de liberdade em um mundo que se recusa a permitir que eles existam.

— Onde está o Zeke? — pergunto.

— Não sei. Não tenho tido muita vontade de andar com ele nos últimos dias.

Olho para ela de soslaio.

— Você poderia simplesmente falar para ele que gosta dele, sabia? Falando sério, acho que ele não faz ideia.

— É óbvio que não faz — diz ela, bufando. — Mas e se é isso que ele quer, ficar pulando de garota para garota por um tempo? Não quero ser apenas mais uma.

— Duvido muito que você seria — digo —, mas entendo o que quer dizer.

Permanecemos em silêncio por alguns segundos, encarando a água furiosa abaixo.

— Você será um bom instrutor — diz ela. — Você me ensinou muito bem.

— Obrigado.

— *Aí* estão vocês — exclama Zeke de trás de nós. Ele está carregando uma grande garrafa cheia de um líquido marrom, segurando-a pelo gargalo. — Venham. Encontrei uma coisa.

Shauna e eu nos entreolhamos e damos de ombros, depois o seguimos até as portas do outro lado do Fosso, que atravessamos pela primeira vez logo depois de saltar sobre a rede. Mas, em vez de nos levar até a rede, ele atravessa outra porta, cuja tranca está presa com fita adesiva, depois segue por um corredor completamente escuro e um lance de escadas.

— Já devemos estar chegando... Ai!

— Desculpa. Não vi que você parou – diz Shauna.

— Espera aí, estou quase conseguindo...

Ele abre a porta, deixando entrar uma luz tênue para que vejamos onde estamos. É o lado oposto do abismo, vários metros acima da água. Lá no alto, o Fosso parece seguir eternamente, e as pessoas caminhando perto do corrimão são pequenas e escuras, impossíveis de distinguir dessa distância.

Solto uma risada. Zeke acabou de nos guiar até outro pequeno momento de rebeldia, provavelmente sem querer.

— Como você encontrou este lugar? – diz Shauna, claramente maravilhada, enquanto salta para uma das pedras abaixo. Agora que estou aqui, vejo um caminho que nos levaria para cima, até o outro lado do muro, se quiséssemos atravessar o abismo.

— Aquela garota, a Maria – diz Zeke. – A mãe dela trabalha na manutenção do abismo. Nem sabia que esse trabalho existia, mas parece que existe.

— Você ainda está saindo com ela? – pergunta Shauna, tentando falar com naturalidade.

— Não — diz Zeke. — Toda vez que estava com ela, sentia vontade de ficar com meus amigos. Isso não é um bom sinal, não é?

— Não — concorda Shauna, parecendo mais alegre.

Desço com mais cuidado até a pedra onde Shauna está. Zeke se senta ao lado dela, abrindo a sua garrafa e a passando para nós.

— Fiquei sabendo que você saiu da disputa — comenta Zeke, passando a garrafa para mim. — Imaginei que você pudesse precisar de um trago.

— Sim — digo, depois dou um gole.

— Considere este ato de embriaguez pública como um grande... — Ele faz um gesto obsceno para o teto de vidro sobre o Fosso. — Sabe, para Max e Eric.

E Evelyn, eu penso, tomando outro trago.

— Trabalharei na sala de controle quando não estiver treinando iniciandos — digo.

— Irado! — exclama Zeke. — Será legal ter um amigo por lá. Agora, ninguém fala comigo.

— Era assim comigo na minha antiga facção — conto, rindo. — Imaginem um almoço inteiro no qual ninguém nem olha para você.

— Que barra — diz Zeke. — Bem, acho que você deve estar feliz em estar aqui, então.

Pego a garrafa dele de novo, bebo outro gole ardido de álcool e limpo a boca com as costas da mão.

— É — digo. — Estou.

Se as facções estão se deteriorando, como minha mãe quer que eu acredite, este não é o pior lugar para estar quando elas ruírem. Aqui, pelo menos, tenho amigos para me fazer companhia enquanto isso acontece.

+ + +

Acaba de escurecer, e meu capuz está levantado para esconder o meu rosto enquanto corro pela área dos sem-facção, bem na fronteira com o setor da Abnegação. Precisei ir até a escola para me orientar, mas agora lembro onde estou e para onde corri no dia em que invadi um armazém dos sem-facção, investigando uma brasa que se extinguia.

Alcanço a porta que atravessei quando deixei o local e bato nela com as juntas dos dedos. Ouço vozes do outro lado e sinto cheiro de comida vindo de uma das janelas abertas, de onde a fumaça do fogo lá dentro está se espalhando para o corredor. Ouço os passos de alguém que vem conferir quem está batendo à porta.

Agora, o homem veste uma camisa vermelha da Amizade e calças pretas da Audácia. Ele continua com uma toalha presa no bolso traseiro, como da última vez em que conversei com ele. Ele abre a porta apenas o bastante para olhar para mim, nem um centímetro a mais.

— Veja só, olha quem passou por uma mudança — diz ele, observando as minhas roupas da Audácia. — A que devo esta visita? Sentiu falta da minha agradável companhia?

— Você sabia que a minha mãe estava viva quando me conheceu — digo. — Foi assim que me reconheceu, porque já passou tempo com ela. Por isso, você sabia o que ela disse a respeito de a inércia tê-la carregado para a Abnegação.

— É verdade — diz o homem. — Mas não imaginei que fosse meu papel revelar a você que ela estava viva. Você está aqui para exigir desculpas ou algo assim?

— Não. Estou aqui para mandar uma mensagem. Você pode entregá-la a ela?

— Sim, claro. Eu a encontrarei nos próximos dias.

Enfio a mão no bolso e retiro um papel dobrado. Eu o entrego a ele.

— Pode ler, eu não ligo. E obrigado.

— Pode deixar — diz ele. — Quer entrar? Você está começando a parecer mais um de nós do que um deles, Eaton.

Balanço a cabeça.

Saio novamente para o beco e, antes de virar a esquina, vejo-o abrindo o bilhete para ler o que está escrito.

Evelyn,
Algum dia. Ainda não.
—4
P.S. Fico feliz por você não estar morta.

O TRAIDOR

Outro ano, outro Dia da Visita.

Há dois anos, quando eu era um iniciando, fingi que meu próprio Dia da Visita não existia, e o passava escondido na sala de treinamento na companhia de um saco de pancadas. Passei tanto tempo lá que ainda conseguia sentir o cheiro de poeira e suor dias depois. No ano passado, meu primeiro como instrutor dos iniciandos, fiz a mesma coisa, embora tanto Zeke quanto Shauna tenham me convidado para ficar um tempo com suas famílias.

Este ano tenho coisas mais importantes para fazer do que bater em um saco e me lamentar pela minha família disfuncional. Vou para a sala de controle.

Atravesso o Fosso, desviando-me de reencontros chorosos e risadas alegres. As famílias sempre podem se reunir no Dia da Visita, mesmo que sejam de facções diferentes, porém, com o tempo, as visitas costumam parar.

"Facção antes do sangue", afinal. A maioria das roupas de cores diferentes que vejo se misturarem ao preto da Audácia pertencem às famílias de transferidos: a irmã de Will, da Erudição, veste azul-claro, os pais de Peter, da Franqueza, usam branco e preto. Observo seus pais por um instante e me pergunto se eles foram os responsáveis por torná-lo a pessoa que ele é hoje. Mas acho que, de modo geral, não é tão fácil assim explicar as pessoas.

Eu deveria estar em uma missão, mas paro ao lado do abismo, encostando-me à grade. Alguns pedaços de papel flutuam na água. Agora sei onde ficam os degraus de pedra; do outro lado, consigo vê-los imediatamente, assim como a porta oculta que leva até eles. Abro um pequeno sorriso, pensando nas noites que passei naquelas pedras com Zeke ou Shauna, às vezes conversando, outras apenas ouvindo o som de água corrente.

Ouço passos se aproximando e olho para trás. Tris caminha na minha direção, aconchegada sob o braço vestido de cinza de uma mulher da Abnegação. Natalie Prior. Fico tenso, subitamente desesperado para fugir. E se Natalie souber quem eu sou, de onde venho? E se ela revelar isso sem querer, aqui, com todas essas pessoas ao redor?

Ela com certeza não me reconhecerá. Não pareço nada com o menino que ela conheceu: fraco, curvado e escondido dentro das roupas largas da Abnegação.

Quando está perto o suficiente, ela estende a mão.

— Olá. Meu nome é Natalie — apresenta-se ela. — Sou a mãe de Beatrice.

Beatrice. Esse nome é tão errado para ela.

Aperto a mão de Natalie. Nunca gostei do aperto de mão da Audácia. É muito imprevisível. Nunca sei o quão forte apertar, ou quantas vezes subir e descer a mão.

— Quatro — digo. — É um prazer conhecê-la.

— Quatro — repete Natalie, depois abre um sorriso. — É um apelido?

— Sim — respondo. Mudo de assunto. — Sua filha está indo bem aqui. Tenho supervisionado o treinamento.

— Fico feliz em saber — diz ela. — Tenho algum conhecimento a respeito da iniciação da Audácia e estava preocupada com ela.

Olho para Tris. Ela está corada e parece feliz, como se ver a mãe estivesse lhe fazendo bem. Só então reparo no quanto ela mudou desde que a vi pela primeira vez, pisando de maneira insegura na plataforma de madeira, com a aparência frágil, como se o impacto contra a rede a tivesse estilhaçado. Ela não aparenta mais aquela fragilidade, traz resquícios de hematomas no rosto e adquiriu uma nova estabilidade na postura, como se estivesse pronta para encarar qualquer coisa.

— Não precisa se preocupar — digo para Natalie.

Tris desvia o olhar. Acho que ela ainda está com raiva de mim, pela maneira como feri a sua orelha com aquela faca. Não posso culpá-la.

— Não sei por quê, mas você me parece familiar, Quatro — diz Natalie. Consideraria seu comentário inocente, não fosse a maneira como está olhando para mim, como se estivesse tentando me arrancar alguma informação.

— Também não consigo imaginar de onde poderia ser — digo com o tom de voz mais frio possível. — Não costumo me associar a pessoas da Abnegação.

Ela não reage da maneira que eu esperava, com surpresa, medo ou raiva. Apenas ri.

— Hoje em dia, poucas pessoas se associam. Sei que não é nada pessoal.

Se ela me reconhece, não parece impelida a revelar isso. Tento relaxar.

— Bem, vou deixar vocês matarem a saudade em paz — digo.

+ + +

No meu monitor, as imagens das câmeras de segurança mudam do saguão da Pira para o buraco rodeado por quatro edifícios, a entrada dos iniciandos da Audácia. Há um grupo de pessoas reunido ao redor do buraco, entrando e saindo dele, acho que para testar a rede.

— Não curte Dias da Visita? — Meu supervisor, Gus, está em pé atrás de mim, bebericando uma caneca de café. Ele não é tão velho, mas o topo da sua cabeça é calvo. O que resta de seu cabelo é mantido curto, mais até do que o meu. Os lóbulos das suas orelhas estão esticados por alargadores. — Pensei que não o veria mais até o final da iniciação.

— Resolvi pelo menos fazer algo produtivo.

No meu monitor, todos escalam para fora do buraco e se afastam, encostando-se em um dos prédios. Bem devagar, uma figura escura se aproxima da beirada do edifício acima do buraco, corre um pouco e depois salta. Sinto um frio na barriga, como se fosse eu que estivesse desabando, e a figura desaparece abaixo da calçada. Nunca vou me acostumar a ver aquilo.

— Eles parecem estar se divertindo — diz Gus, bebericando mais uma vez seu café. — Bem, não vou reclamar se você quiser trabalhar fora do horário, mas um pouco de diversão não faz mal a ninguém, Quatro.

Ele se afasta, e eu murmuro:

— É, estou sabendo.

Vasculho a sala de controle. Está quase vazia. No Dia da Visita, poucas pessoas são obrigadas a trabalhar, geralmente só as mais velhas. Gus está inclinado sobre seu monitor. Há outros dois funcionários ao seu lado, observando as imagens com apenas um fone de ouvido na orelha. Além deles, apenas eu.

Digito um comando, abrindo a gravação que salvei na semana passada. Ela mostra Max em seu escritório, sentado diante do computador. Ele digita com o dedo indicador, catando as teclas certas durante vários segundos entre uma digitação e outra. Poucos membros da Audácia sabem digitar rápido, especialmente o Max, que, pelo que me disseram, passou a maior parte da sua vida na Audácia patrulhando o setor dos sem-facção com a sua arma. Ele não deve ter imaginado que um dia precisaria usar um computador. Inclino-me para perto do monitor a fim de me certificar de que os números que anotei antes estão certos. Se estiverem, tenho a senha de acesso ao computador de Max escrita em um papel, no meu bolso.

Desde que descobri que Max estava trabalhando com Jeanine Matthews e comecei a suspeitar de que eles estivessem ligados de alguma maneira à morte de Amah, tenho procurado um modo de investigar mais a fundo. E consegui quando o vi digitar sua senha outro dia.

084628. Sim, os números parecem corretos. Acesso as imagens de segurança ao vivo outra vez e procuro entre as câmeras até encontrar a que mostra o escritório de Max e o corredor mais adiante. Depois, digito o comando que retira a imagem do escritório de Max do circuito, para que Gus e os outros não a vejam; ela só será exibida no meu monitor. As imagens de toda a cidade são sempre divididas entre o número de pessoas que estiverem trabalhando na sala de controle, para que não fiquemos todos observando os mesmos lugares. Só podemos tirar as imagens da rotação geral como acabei de fazer por alguns segundos, e somente se precisarmos analisar algo com mais cuidado, mas acho que isso não vai demorar muito. Saio da sala e caminho até os elevadores.

Este andar da Pira está quase vazio. Todos saíram. Isso facilitará o que preciso fazer agora. Sigo de elevador até o décimo andar e caminho com decisão até o escritório de Max. Descobri que, quando você anda por aí sem querer ser notado, é melhor não parecer que está andando por aí sem querer ser notado. Tamborilo o pendrive no meu bolso enquanto caminho e viro o corredor, parando em frente à sala dele.

Abro a porta com a ponta do pé. Hoje mais cedo, após ter certeza de que Max havia descido para o Fosso com o objetivo de começar as preparações para o Dia da Visita, vim escondido até aqui e prendi a tranca com fita adesiva. Fecho a porta atrás de mim silenciosamente, sem acender as luzes, e agacho-me ao lado da sua mesa. Não quero mexer na cadeira ou sentar nela; não quero que ele note nenhuma mudança no escritório quando voltar.

O monitor exige uma senha. Minha boca está seca. Retiro o papel do bolso e o aperto contra a mesa enquanto digito. 084.628.

A tela muda. Não acredito que funcionou.

Rápido. Se Gus descobrir que saí, que estou aqui, não sei o que direi ou que desculpa minimamente razoável poderei dar. Insiro o pendrive e transfiro o programa que guardei nele mais cedo. Pedi a Lauren, uma das funcionárias da equipe de assistência técnica da Audácia e minha colega entre os instrutores de iniciação, por um programa que tornasse um computador um espelho de outro, com a desculpa de que queria pregar uma peça em Zeke quando estivéssemos trabalhando. Ela me ajudou de bom grado. Outra coisa que descobri é que os membros da Audácia estão sempre dispostos a participar de trotes e quase não reparam em mentiras.

Com alguns cliques rápidos, o programa é instalado e escondido em uma pasta do computador de Max onde tenho certeza de que ele nunca procurará. Enfio o pendrive de volta no bolso, junto com o pedaço de papel no qual anotei a senha, e deixo o escritório sem marcar a parte de vidro da porta com minhas impressões digitais.

Até que foi fácil, penso enquanto caminho de volta para os elevadores. Segundo o meu relógio, a operação durou só cinco minutos. Se alguém perguntar, posso dizer que fui ao banheiro.

Mas, quando volto para a sala de controle, Gus está sentado diante do meu computador, encarando o monitor.

Fico paralisado. Há quanto tempo será que ele está lá? Será que ele me viu invadir o escritório de Max?

— Quatro — diz Gus com a voz séria. — Por que você isolou esta imagem? Vocês não podem retirar imagens da rotação. Você sabe disso.

— Eu... — *Minta! Minta agora!* — pensei ter visto alguma coisa — concluo, nada convincente. — Podemos isolar imagens quando vemos coisas fora do comum.

Gus se aproxima de mim.

— Então por que acabei de vê-lo no monitor, saindo desse corredor?

Ele aponta para o corredor no monitor. Minha garganta aperta.

— Pensei ter visto algo estranho e fui investigar — digo. — Desculpe. Eu precisava dar uma volta.

Ele me encara, mastigando a parte de dentro da bochecha. Fico imóvel. Não desvio o olhar.

— Se voltar a ver algo fora do normal, siga o protocolo. Você precisa avisar o seu supervisor, que é... quem mesmo?

— Você — digo, suspirando um pouco. Não gosto que me tratem com condescendência.

— Correto. Que bom que você *consegue* acompanhar esse raciocínio — diz ele. — Honestamente, Quatro, depois de mais de um ano trabalhando aqui, não deveria haver mais nenhuma irregularidade na sua performance. Temos regras muito claras, e tudo o que você precisa fazer é segui-las. Este é seu último aviso. Certo?

— Certo — respondo. Já fui repreendido algumas vezes por tirar imagens da rotação para bisbilhotar encontros entre Jeanine Matthews e Max, ou entre Max e Eric. Nunca consegui qualquer informação útil assim, e quase sempre fui pego.

— Que bom. — Sua voz fica um pouco mais suave. — Boa sorte com os iniciandos. Você ficou com os transferidos de novo este ano?

— Fiquei — respondo. — Lauren pegou os nascidos na Audácia.

— Ah, que pena. Achei que você fosse conhecer a minha irmãzinha — diz Gus. — Se eu fosse você, faria alguma coisa para relaxar. Não precisamos de ajuda aqui agora. Só peço que libere aquela imagem antes de ir embora.

Ele volta para o seu computador, e eu relaxo a mandíbula. Nem percebi que ela estava tão tensa. Com o rosto latejando, desligo o computador e deixo a sala de controle. Não acredito que consegui me safar.

Agora, com esse programa instalado no computador de Max, posso acessar todos os seus arquivos da privacidade relativa da sala de controle. Posso descobrir exatamente o que ele e Jeanine Matthews estão tramando.

+ + +

À noite, sonho que estou caminhando pelos corredores da Pira, sozinho, mas os corredores não terminam, e a vista das janelas não muda, com os trilhos suspensos do trem curvando-se para dentro de edifícios altos, o sol encoberto pelas nuvens. Sinto que estou andando há horas e, quando acordo assustado, parece que nem dormi.

De repente, ouço uma batida na porta e uma voz gritando:

— Abra!

Parece mais um pesadelo do que o tédio do qual acabei de escapar. Tenho certeza de que são soldados da Audácia vindo me buscar porque descobriram que sou Divergente, ou que estou espionando Max, ou que entrei em contato com a minha mãe sem-facção no ano passado. Todas essas coisas gritam "traidor da facção".

Soldados da Audácia vindo me matar. Mas, ao caminhar até a porta, percebo que, se eles fizessem isso, não causariam esse estardalhaço no corredor. Além do mais, a voz é de Zeke.

— Zeke — digo, abrindo a porta. — Qual é o seu problema? Estamos no meio da noite.

Há um pouco de suor na sua testa, e ele está sem fôlego. Deve ter corrido até aqui.

— Eu estava trabalhando no turno da noite na sala de controle — diz Zeke. — Aconteceu alguma coisa no dormitório dos transferidos.

Por algum motivo, a primeira coisa em que penso é *nela*, nos seus olhos grandes me encarando das profundezas da minha memória.

— O quê? — pergunto. — Com quem?

— Vamos conversar enquanto andamos — pede Zeke.

Calço os sapatos, visto o casaco e o sigo pelo corredor.

— O garoto da Erudição. O loiro — diz Zeke.

Tenho que reprimir um suspiro de alívio. Não foi ela. Nada aconteceu a ela.

— Will? — pergunto.

— Não, o outro.

— Edward.

— É, o Edward. Ele foi atacado. Levou uma facada.
— Ele morreu?
— Não, está vivo. A facada foi no olho.

Paro de andar.

— No *olho*?

Zeke concorda com a cabeça.

— Para quem você contou isso?
— Para o supervisor da noite. Ele foi contar para o Eric, e o Eric disse que resolveria a situação.
— É claro que vai. — Desvio para a direita, para longe do dormitório dos transferidos.
— Aonde está indo? — pergunta Zeke.
— O Edward já está na enfermaria? — Caminho de costas enquanto falo.

Zeke faz que sim com a cabeça.

— Então vou conversar com Max — digo.

+ + +

O complexo da Audácia é pequeno o bastante para que eu saiba onde as pessoas moram. O apartamento de Max fica bem afastado, entre os corredores subterrâneos do complexo, perto da porta que leva para os trilhos, do lado de fora. Marcho na sua direção, seguindo as lâmpadas azuis de emergência alimentadas pelo nosso gerador a energia solar.

Esmurro a porta de metal com o punho cerrado, acordando Max da mesma maneira que Zeke me acordou. Ele abre a porta com força alguns segundos depois, com pés descalços e olhos transtornados.

— O que aconteceu? — pergunta ele.

— Um dos meus iniciandos levou uma facada no olho — digo.

— E você veio aqui? Alguém informou isso ao Eric?

— Sim. É sobre esse assunto que quero falar com você. Posso entrar?

Não espero a resposta. Esbarro nele e entro em sua sala de estar. Ele acende as luzes, revelando a sala mais bagunçada que já vi, com copos e pratos sujos cobrindo a mesa de centro, todas as almofadas do sofá desarrumadas e o chão cinza de tanta poeira.

— Quero que a iniciação volte a ser como era antes de Eric torná-la mais competitiva, e quero que ele fique longe da minha sala de treinamento.

— Você não acredita realmente que o fato de um iniciando ter se machucado seja culpa do Eric — diz Max, cruzando os braços. — Ou que você tenha o direito de fazer exigências.

— Sim, a culpa é dele, é claro que a culpa é dele! — respondo, mais alto do que queria. — Se eles não estivessem todos lutando por uma das dez vagas, não se desesperariam a ponto de atacar uns aos outros! Ele os deixou tão tensos que obviamente acabariam estourando uma hora ou outra!

Max fica em silêncio. Ele parece irritado, mas não está me chamando de ridículo, o que já é um começo.

— Você não acha que devemos responsabilizar o autor do ataque? Você não acha que ele ou ela deve ser considerado culpado no lugar de Eric?

— É claro que ele, ou ela, ou quem quer que seja, deve ser responsabilizado Mas isso nunca teria acontecido se Eric...

— Você não pode ter certeza disso — diz Max.

— Posso ter a mesma certeza que qualquer pessoa razoável teria.

— E eu não sou razoável? — Sua voz está baixa, perigosa, e, de repente, lembro-me de que Max não é apenas um líder da Audácia que gosta de mim por alguma razão inexplicável. Ele é o líder da Audácia que está trabalhando com Jeanine Matthews, a mesma pessoa que selecionou Eric e provavelmente teve alguma relação com a morte de Amah.

— Não foi o que eu quis dizer — digo, tentando permanecer calmo.

— Você precisa ser cuidadoso e escolher melhor as palavras. — Max aproxima-se de mim. — Ou alguém pode começar a pensar que você está insultando seus superiores.

Não respondo. Ele se aproxima ainda mais.

— Ou questionando os valores da sua facção — diz ele, e seus olhos vermelhos saltam para o meu ombro, onde as chamas da Audácia aparecem pela gola da minha camisa. Tenho mantido os cinco símbolos das facções que cobrem as minhas costas escondidos desde que fiz a tatuagem, mas, por algum motivo, agora fico apavorado com a possibilidade de Max saber sobre eles. De ele saber o que significam, que não sou um membro perfeito da Audácia; sou uma pessoa que acredita que mais de uma virtude deve ser valorizada; sou um Divergente.

— Você teve a sua chance de se tornar um líder da Audácia — diz Max. — Talvez pudesse ter evitado esse incidente se não tivesse desistido como um covarde. Mas foi isso que você fez. Então, agora terá que aguentar as consequências.

Seu rosto revela a sua idade. Ele tem marcas que não possuía no ano passado, ou no ano retrasado, e sua pele está marrom-acinzentada, como se estivesse coberta de cinzas.

— Eric só está tão envolvido com a iniciação porque você se recusou a seguir ordens no ano passado...

No ano passado, na sala de treinamento, parei todas as lutas antes que os ferimentos ficassem sérios demais, contra a ordem de Eric de que as lutas só deveriam ser interrompidas quando um dos lutadores não conseguisse mais continuar. Como resultado, quase perdi meu posto de instrutor da iniciação; teria perdido se Max não tivesse interferido.

— E eu queria te dar outra chance para fazer a coisa certa, com um monitoramento maior — diz Max. — Você tem falhado em fazer isso. Você já foi longe demais.

O suor que se acumulou na minha pele quando corri até aqui esfriou. Ele dá um passo para trás e abre novamente a porta do seu apartamento.

— Saia do meu apartamento e lide com seus iniciandos — diz Max. — Não quero ver você sair da linha outra vez.

— Sim, senhor — digo baixinho, e vou embora.

+ + +

Visito Edward na enfermaria na manhã seguinte bem cedo, ao nascer do sol, quando a luz atravessa o teto de vidro do Fosso. A cabeça dele está envolta em esparadrapos brancos, e o garoto não se move nem fala. Também não digo nada, apenas me sento ao lado dele e espero enquanto os minutos passam no relógio da parede.

Fui um idiota. Pensei que era invencível, que a vontade de Max de que eu fosse um líder da Audácia nunca oscilaria, que, em algum nível, ele confiava em mim. Não deveria ter sido tão idiota. Tudo o que Max queria era um fantoche. Foi o que minha mãe disse.

Não posso ser um fantoche. Mas não sei o que mais devo ser.

+ + +

O cenário que Tris Prior inventa é estranho e quase bonito, com o céu amarelo-esverdeado e a grama amarela se estendendo por quilômetros em todas as direções.

Assistir à simulação do medo de outra pessoa é esquisito. Íntimo. Não me sinto à vontade forçando outras pessoas a ficar vulneráveis, mesmo que não goste delas. Todo ser humano tem direito a ter seus segredos. Assistir aos medos dos meus iniciandos, um após o outro, me faz sentir como se a minha pele tivesse sido completamente raspada com uma lixa.

Na simulação de Tris, a grama amarela está perfeitamente parada. Se o ar não estivesse estagnado, eu diria que tudo é um sonho, não um pesadelo. Mas a ausência do vento significa apenas uma coisa para mim: uma tempestade iminente.

Uma sombra se move pela grama, e um grande pássaro preto pousa no ombro dela, cravando as garras em sua camisa. As pontas dos meus dedos formigam quando me lembro de como toquei seu ombro quando ela entrou na sala de simulação, e de como afastei o cabelo do seu pescoço antes de injetar o soro nela. Estúpido. Descuidado.

Ela bate no pássaro negro com força, e, de repente, tudo acontece ao mesmo tempo. O trovão estrondeia; o chão escurece, não com nuvens de tempestade, mas com *pássaros*, um bando impossivelmente grande deles, movendo-se em uníssono, como muitas partes da mesma mente.

O som do grito dela é o pior som do mundo, desesperado. Ela está desesperada por ajuda, e eu estou desesperado para ajudá-la, embora saiba que o que vejo não é real. Eu sei disso. Os corvos continuam vindo, implacáveis, cercando-a, enterrando-a viva em penas escuras. Ela grita por ajuda, e não posso ajudá-la e não quero assistir a isso, não quero assistir nem mais um segundo.

Mas, de repente, ela começa a se mexer, mudando de posição e deitando na grama, cedendo, relaxando. Se ela está sentindo dor agora, não demonstra; apenas fecha os olhos e se rende, e isso, de alguma forma, é pior do que seus gritos por ajuda.

De repente, a simulação acaba.

Ela lança o corpo para a frente na cadeira de metal, batendo no próprio corpo para afastar os pássaros, embora eles já tenham desaparecido. Depois, encolhe-se e esconde o rosto.

Estendo a mão para tocar seu ombro, para reconfortá-la, e ela bate no meu braço com força.

— Não toque em mim!

— Acabou — digo, contraindo o rosto. Ela me socou com mais força do que imagina. Ignoro a dor e corro a mão pelo seu cabelo, porque sou idiota, e inapropriado, e idiota...

— Tris.

Ela apenas move o corpo para a frente e para trás, acalmando-se.

— Tris, vou levar você de volta ao dormitório, está bem?

— Não! Eles não podem me ver... não desta maneira...

É isso que o novo sistema de Eric cria: um ser humano corajoso acabou de vencer um dos seus piores medos em menos de cinco minutos, um esforço que outras pessoas costumam demorar pelo menos o dobro do tempo para concluir, mas está morrendo de medo de voltar para o corredor, de ser visto expressando qualquer tipo de fraqueza e vulnerabilidade. Tris tem todas as características da Audácia, isso é simples e claro, mas esta facção já não tem mais tanto a ver com essas características.

— Ah, acalme-se — digo com um tom mais irritado do que queria. — Eu a levarei pela porta dos fundos.

— Não preciso que você me leve... — Consigo ver as mãos dela tremendo, apesar da recusa à minha oferta.

— Isso é besteira — digo. Seguro o braço dela e a ajudo a levantar. Ela enxuga os olhos enquanto caminho em direção à porta. Amah atravessou esta porta comigo certa vez, e tentou me levar de volta ao dormitório, apesar de eu não querer sua companhia, como Tris provavelmente não quer a minha agora. Como é possível viver a mesma história duas vezes, sob dois pontos de vista?

Ela se desvencilha de mim e me encara.

— Por que você fez aquilo comigo? Qual foi o propósito daquilo, hein? Quando escolhi a Audácia, não sabia que estava me candidatando a semanas de tortura!

Se ela fosse qualquer outro, qualquer um dos outros iniciandos, já teria gritado várias vezes com ela por sua insubordinação. Teria me sentido ameaçado por seus ataques constantes ao meu caráter e tentado reprimir seus atos de revolta com crueldade, como fiz com Christina no primeiro dia de iniciação. Mas Tris ganhou o meu respeito quando decidiu ser a primeira a pular na rede; ao me desafiar em sua primeira refeição; ao não se intimidar por minhas respostas desagradáveis às suas perguntas; quando enfrentou o Al e me olhou nos olhos enquanto atirava facas contra ela. Ela não é minha subordinada, e nunca poderia ser.

— Você achou que superar a covardia seria uma tarefa fácil? — digo.

— Aquilo não teve nada a ver com a superação da minha covardia! A covardia se encontra em como alguém escolhe ser na vida real, e na vida real eu não seria bicada até a morte por corvos, Quatro!

Ela começa a chorar, mas fico chocado demais com suas palavras para me sentir desconfortável com suas lágrimas. Tris não está aprendendo as lições que Eric quer que ela aprenda. Está aprendendo coisas diferentes, mais sábias.

— Quero ir para casa.

Sei onde ficam as câmeras neste corredor. Espero que nenhuma delas tenha captado o que ela acabou de dizer.

— Saber pensar em meio ao medo é uma lição que todos, até mesmo a sua família de Caretas, devem aprender — digo. Desconfio de muitas coisas a respeito da iniciação da Audácia, mas as simulações do medo não são uma delas; elas são a maneira mais direta para que uma pessoa enfrente seus medos e os derrote, bem mais direta do que o lançamento de facas ou as lutas. — É isso o que estamos tentando ensinar-lhe. Se você não conseguir aprender, terá que dar o fora daqui, porque não vamos querer você.

Sou duro com ela porque sei que ela aguenta o tranco. Além disso, não sei como ser de outro jeito.

— Estou tentando. Mas eu fracassei. Estou fracassando.

Quase caio na gargalhada.

— Quanto tempo você acha que passou naquela alucinação, Tris?

— Não sei. Cerca de meia hora?

— Três minutos. Você acordou três vezes mais rápido do que os outros iniciandos. Você pode ser qualquer coisa, Tris, menos um fracasso.

Você talvez seja Divergente, penso. Mas ela não fez nada para mudar a simulação, então talvez não seja. Talvez ela seja apenas corajosa.

Sorrio para ela.

— Amanhã você se sairá melhor. Você vai ver.

— Amanhã?

Ela parece mais calma agora. Apoio a mão nas suas costas, logo abaixo do ombro.

— O que você viu na sua primeira alucinação? — pergunta ela.

— Não foi exatamente um 'que' mas um 'quem'. — Ao falar, me dou conta de que deveria ter revelado a ela apenas o primeiro obstáculo da minha paisagem do medo, o medo de alturas, embora não seja exatamente isso que ela está perguntando. Quando estou com ela, não consigo controlar o que digo, como faço com outras pessoas. Falo coisas vagas, porque é a melhor forma que encontro para me segurar e não falar nada, com a mente aturdida pela sensação do corpo dela sob a camisa. — Mas isso não importa.

— E você já conseguiu superar esse medo?

— Ainda não. — Estamos na porta do dormitório. O caminho nunca passou tão rápido. Enfio as mãos no bolso, para não fazer nada de idiota com elas outra vez. — Talvez eu nunca supere.

— Então, eles não vão embora?

— Às vezes vão. E às vezes são apenas substituídos por novos medos. Mas o objetivo não é perder o medo. Isso seria impossível. Aprender a controlar seu medo e libertar-se dele é o *verdadeiro* objetivo.

Ela acena com a cabeça. Não sei por que ela está aqui, mas acredito que tenha escolhido a Audácia para se libertar. A Abnegação teria sufocado a faísca nela até que se apagasse por completo. Mas, apesar de todas as suas falhas, a Audácia alimentou essa faísca, transformando-a em uma chama.

— De qualquer maneira — digo —, seus medos dificilmente serão exatamente o que aparece na simulação.

— Como assim?

— Bem, você realmente tem medo de corvos? — Eu sorrio. — Quando você vê um corvo, você sai correndo e gritando?

— Não. Acho que não.

Ela se aproxima de mim. Estava me sentindo mais seguro quando havia mais espaço entre nós. Ela chega ainda mais perto. Penso em tocá-la, e minha boca fica seca. Quase nunca penso em pessoas desta maneira, sobre garotas desta maneira.

— Então, do que tenho medo de verdade? — pergunta ela.

— Não sei — digo. — Apenas você pode saber.

— Eu não sabia que me tornar um membro da Audácia seria tão difícil.

Fico feliz em ter outra coisa na qual pensar que não seja o quão fácil seria levar a mão até suas costas.

— Dizem que nem sempre foi assim. Quer dizer, se tornar um membro da Audácia.

— O que mudou?

— A liderança. A pessoa que controla o treinamento estabelece o padrão de comportamento da Audácia. Há seis anos, Max e outros líderes mudaram os métodos de treinamento para torná-los mais competitivos e brutais, afirmando que isso testaria a força das pessoas. — Há seis anos, a parte de combate do treinamento era breve e não incluía lutas sem luvas. Iniciandos usavam proteção. A ênfase estava em ser forte e capacitado, além de desenvolver camaradagem com os outros iniciandos. E, mesmo quando eu era um iniciando, a situação era melhor do que agora: as possibilidades de iniciandos se tornarem membros eram ilimitadas, e as lutas paravam quando um dos competidores se rendia. — E isso modificou as prioridades da Audácia como um todo. Aposto que você consegue adivinhar quem é o novo protegido dos líderes.

É claro que ela sabe imediatamente de quem estou falando.

— Se você ficou em primeiro lugar entre os iniciandos da sua turma, então em que posição ficou Eric? — pergunta ela.

— Em segundo.

— Então, ele era a segunda opção de liderança deles. E você era a primeira.

Ela é perceptiva. Não sei se eu era a primeira escolha, mas certamente era uma escolha melhor do que Eric.

— Por que acha isso?

— Pela maneira como Eric se comportou durante o jantar na primeira noite. Ele estava com inveja, mesmo já tendo o que quer.

Nunca pensei em Eric dessa maneira. Inveja? De quê? Nunca tirei nada dele, nunca representei uma ameaça a ele. Foi Eric quem foi atrás de Amah, quem veio atrás de mim. Mas talvez ela tenha razão. Talvez eu nunca tenha percebido o quão frustrado ele estava em ser o segundo, atrás de um transferido da Abnegação, depois do duro que ele deu, ou por eu ser o preferido de Max para a liderança, mesmo depois de ele ser plantado aqui especificamente para assumir essa posição.

Ela limpa o rosto.

— Parece que eu estive chorando?

A pergunta é quase cômica para mim. As lágrimas dela sumiram quase tão depressa quanto vieram, e agora seu rosto está calmo outra vez, seus olhos estão secos, seu cabelo está liso. Como se nada tivesse acontecido. Como se ela não tivesse acabado de passar três minutos sobrepujada pelo terror. Ela é mais forte do que eu era.

— Bem... — Inclino-me para perto dela, fingindo examiná-la, mas, de repente, não estou mais fingindo, estou apenas perto, e sentimos a respiração um do outro. — Não, Tris — digo. — Você parece... — Tento usar uma expressão da Audácia. — Dura como uma pedra.

Ela abre um pequeno sorriso. Faço o mesmo.

+ + +

— Ei — diz Zeke, sonolento, apoiando a cabeça na mão fechada. — Quer assumir o trabalho para mim? Estou quase pregando os meus olhos com fita adesiva.

— Desculpe — digo. — Só preciso usar um computador. Você sabe que são apenas nove da noite, não sabe?

Ele boceja.

— Fico cansado quando estou tão entediado. Mas meu turno está quase acabando.

Adoro a sala de controle à noite. Só três pessoas monitoram as imagens, então a sala fica completamente silenciosa, exceto pelo zumbido dos computadores. Pelas janelas, vejo apenas um fiapo da lua; todo o resto está escuro. É difícil encontrar paz no complexo da Audácia, e este é o lugar onde a encontro com mais frequência.

Zeke volta a olhar para o monitor. Sento-me diante de um computador, a algumas cadeiras de distância dele, e ajeito o monitor para que as outras pessoas na sala não consigam ver a tela. Em seguida, faço o *login* usando o usuário falso que criei há meses, para que ninguém consiga rastrear isso até mim.

Abro o programa de espelhamento que me permite usar o computador de Max remotamente. Ele leva alguns segundos para rodar, mas, quando carrega, parece que estou sentado no escritório de Max, usando a máquina dele.

Trabalho de maneira rápida e sistemática. Ele nomeia suas pastas com números; por isso, não sei o que cada uma contém. A maioria delas não traz nada sério, apenas listas de membros da Audácia ou calendários de eventos. Abro e fecho as pastas em segundos.

Concentro-me mais nos arquivos, pasta após pasta, e, de repente, encontro algo estranho. Uma lista de suprimentos, mas os itens não são comida, tecidos ou qualquer outra coisa que eu reconheceria da vida mundana da Audácia. É uma lista de armas. E de algo nomeado como *Soro D$_2$*.

Só consigo imaginar uma coisa que exigiria da Audácia tantas armas: um ataque. Mas contra quem?

Confiro a sala de controle de novo, com o coração batendo tão forte que minha cabeça lateja. Zeke está jogando um jogo de computador que ele mesmo programou. Outro operador da sala está caído para o lado, com os olhos meio fechados. O terceiro mexe um copo de água distraidamente com um canudo e olha pela janela. Ninguém está prestando a menor atenção em mim.

Abro mais arquivos. Depois de algumas tentativas infrutíferas, encontro um mapa. Ele está quase todo marcado com letras e números, e, a princípio, não sei o que estou vendo.

Mas depois abro um mapa da cidade do banco de dados da Audácia e comparo os dois; recosto-me na cadeira ao perceber quais ruas o mapa de Max está destacando.

O setor da Abnegação.

O ataque será contra a Abnegação.

+ + +

Isso deveria ser óbvio, é claro. Quem mais Max e Jeanine se preocupariam em atacar? A vendeta daqueles dois é contra a Abnegação, e sempre foi. Eu deveria ter percebido isso quando a Erudição publicou aquela matéria sobre meu pai, o marido e pai monstruoso. Que eu saiba, essa foi a única matéria verídica que eles já escreveram.

Zeke cutuca a minha perna com o pé.

— Acabou o turno. Hora de dormir?

— Não — respondo. — Preciso beber alguma coisa.

Sua empolgação é visível. Não é toda noite que decido abandonar a minha existência frugal e reclusa para uma noitada ao estilo da Audácia.

— Pode contar comigo — diz ele.

Fecho o programa, desconecto da minha conta e tudo o mais. Também tento deixar a informação sobre o ataque contra a Abnegação de lado até conseguir pensar no que fazer com ela, mas isso me persegue até o elevador, através do saguão e pelos caminhos até o fundo do Fosso.

+ + +

Saio da simulação com uma sensação pesada no fundo do estômago. Desconecto-me dos fios e me levanto. Ela ainda está se recuperando da sensação de quase se afogar, balançando as mãos e respirando fundo. Observo-a por alguns segundos, sem saber ao certo como dizer o que precisa ser dito.

— O que foi? — pergunta ela.

— Como você conseguiu fazer aquilo?

— Fazer o quê?

— Quebrar o vidro.

— Não sei.

Assinto e lhe ofereço a mão. Ela se levanta sem problemas, mas evita os meus olhos. Procuro as câmeras nos cantos da sala. Encontro uma, exatamente onde pensei que estaria, bem na nossa frente. Seguro seu cotovelo e a puxo para fora da sala, para um lugar onde sei que não seremos observados, em um ponto cego entre dois pontos de vigilância.

— O que foi? — pergunta ela, irritada.

— Você é Divergente — digo. Não estou sendo muito simpático com ela hoje. Ontem à noite, encontrei-a com amigos perto do abismo e, em um lapso de julgamento, ou de sobriedade, inclinei-me para muito perto dela, para dizer que estava bonita. Acho que talvez tenha ido longe demais. Agora, estou ainda mais preocupado, mas por motivos diferentes.

Ela quebrou o vidro. Ela é Divergente. Ela está correndo perigo.

Ela me encara.

Depois, encosta-se à parede, adotando uma aura quase convincente de indiferença.

— O que é um Divergente?

— Não se faça de idiota — digo. — Suspeitei da última vez, mas agora ficou óbvio. Você manipulou a simulação; você é Divergente. Vou apagar a gravação, mas, a não ser que você queira acabar *morta* no fundo do abismo, é melhor arrumar um jeito de esconder isso durante as simulações. Agora, me dá licença.

Volto para a sala de simulação e fecho a porta. É fácil deletar as imagens. Com alguns cliques, eu as apago, e o registro fica limpo. Confiro de novo o arquivo dela, para me certificar de que a única coisa que restou foi a informação sobre a primeira simulação. Precisarei arrumar uma desculpa para explicar onde os dados dessa sessão foram parar. Uma boa mentira que realmente convença Eric e Max.

Pego o meu canivete e o finco entre os painéis que cobrem a placa-mãe do computador, separando-os. Depois, sigo até o bebedouro do corredor e encho a boca de água.

Volto para a sala de simulação e cuspo um pouco da água no vão entre os painéis. Guardo o canivete e espero.

Cerca de um minuto depois, o monitor fica preto. A sede da Audácia é, basicamente, uma caverna cheia de infiltrações. Danos causados por água acontecem o tempo todo.

+ + +

Eu estava desesperado.

Mandei uma mensagem pelo mesmo sem-facção que usei como mensageiro da última vez que precisei entrar em contato com minha mãe. Combinei de encontrá-la no último vagão do trem das dez e quinze, que sai da sede da Audácia. Acho que ela saberá como me achar.

Sento-me recostado na parede, com um dos braços envolvendo meu joelho, e vejo a cidade passar por mim. Os trens noturnos não andam tão rápido quanto os diurnos. É mais fácil observar como os edifícios mudam à medida que o trem se aproxima do centro da cidade, como eles ficam mais altos, mas também mais estreitos, as pilastras de vidro agora se misturam às estruturas menores e mais antigas de pedra. Levanto-me, segurando um dos corrimãos ao longo da parede, e Evelyn salta para dentro do vagão usando botas da Amizade, um vestido da Erudição e uma jaqueta da Audácia. Seu cabelo está preso, o que torna o seu rosto severo ainda mais duro.

— Olá — diz ela.

— Oi.

— Cada vez que te vejo, você está maior — comenta ela. — Acho que não preciso nem perguntar se está comendo direito.

— Eu poderia dizer o mesmo sobre você — digo —, mas por motivos diferentes.

Sei que ela não está comendo direito. Ela é uma sem-facção, e os membros da Abnegação não têm providenciado tanta ajuda quanto de costume, com toda a pressão que a Erudição está exercendo.

Pego a mochila com as latas que afanei do depósito da Audácia.

— É apenas sopa insossa e verduras, mas é melhor do que nada — digo, oferecendo-a para ela.

— Quem disse que preciso da sua ajuda? — pergunta Evelyn com cuidado. — Estou bem, sabia?

— Não é para você — respondo. — É para todos os seus amigos magricelas. Se eu fosse você, não recusaria comida.

— Não estou recusando — diz ela, pegando a mochila. — Só não estou acostumada com a sua preocupação. É um pouco desconcertante.

— Conheço esse sentimento muito bem — digo com frieza. — Quanto tempo você demorou até resolver conferir como andava a minha vida? Sete anos?

Evelyn suspira.

— Se você pediu que eu viesse aqui só para começar essa discussão outra vez, lamento, mas não poderei ficar muito tempo.

— Não — digo. — Não foi por isso que pedi para você vir aqui.

Eu nem queria ter entrado em contato com ela, mas sabia que não podia contar a nenhum membro da Audácia o que descobri sobre o ataque contra a Abnegação. Não sabia o quão leais à facção e às suas políticas eles eram. Mas precisava contar para alguém. Quando conversei com Evelyn, ela parecia saber coisas sobre a cidade que eu desconhecia. Imaginei que ela talvez pudesse me ajudar com isso, antes que seja tarde demais.

É arriscado, mas não sei mais o que fazer.

— Tenho vigiado Max — digo. — Você disse que a Erudição estava envolvida com a Audácia, e tinha razão. Eles estão planejando algo juntos, Max e Jeanine e sabe-se lá quem mais.

Conto a ela o que vi no computador de Max, as listas de suprimentos e os mapas. Conto o que observei a respeito da atitude da Erudição em relação à Abnegação, dos relatórios e de como eles estão botando os membros da Audácia contra nossa antiga facção.

Quando termino de falar, Evelyn não parece surpresa, nem mesmo preocupada. Na verdade, não tenho a menor ideia de como interpretar sua expressão. Ela fica em silêncio por alguns segundos, depois diz:

— Você viu alguma indicação de quando isso aconteceria?

— Não — respondo.

— E quanto a números? Qual é o tamanho da força que a Audácia e a Erudição pretendem usar? Como planejam convocá-la?

— Não sei — respondo, frustrado. — Também não me importo. Não faz diferença a quantidade de recrutas que eles conseguirem reunir, reduzirão a Abnegação a cinzas em segundos. Eles não são exatamente treinados para se defender. Nem treinariam, mesmo se soubessem como o fazer.

— Eu sabia que algo estava acontecendo — diz Evelyn, franzindo a testa. — As luzes ficam acesas na sede da Erudição o tempo todo. Isso significa que eles não têm mais medo de se encrencar com os líderes do conselho, o que... sugere alguma coisa a respeito da sua crescente dissidência.

— Está bem — digo. — Como os alertaremos?

— Alertaremos quem?

— A Abnegação! — respondo, irritado. — Como alertaremos a Abnegação de que eles serão mortos? Como diremos à Audácia que seus líderes estão conspirando contra o conselho? Como...

Faço uma pausa. Evelyn está parada, com as mãos largadas ao lado do corpo e o rosto relaxado e passivo. *Nossa cidade está mudando, Tobias.* Foi o que ela me disse quando nos reencontramos pela primeira vez. *Em breve, todos terão que escolher um lado, e sei em qual lado você preferirá estar.*

— Você já sabia — digo bem devagar, esforçando-me para processar a verdade. — Você sabia que eles estavam planejando alguma coisa assim. Você já sabe há algum tempo. Só estava esperando acontecer. Estava contando com isso.

— Não me resta qualquer simpatia pela minha antiga facção. Não quero que eles, ou qualquer outra facção, continuem a controlar esta cidade e seus habitantes — afirma Evelyn. — Se alguém quiser acabar com meus inimigos por mim, pretendo permitir que o façam.

— Não acredito no que você está falando — digo. — Eles não são todos o Marcus, Evelyn. Eles são *indefesos*.

— Você acha que eles são tão inocentes... Você não os conhece. Eu os conheço, e já *vi* quem eles realmente são.

A voz dela é grave, gutural.

— Como acha que seu pai conseguiu mentir para você sobre mim durante tantos anos? Acha que os outros líderes da Abnegação não o ajudaram, não perpetuaram a mentira? *Eles* sabiam que eu não estava grávida, que ninguém tinha chamado um médico, que *não havia corpo* algum. Mas mesmo assim falaram que eu tinha morrido, não falaram?

Nunca tinha pensado nisso. Não havia corpo algum. Não havia corpo, mas, mesmo assim, todos os homens e mulheres sentados na casa do meu pai naquela manhã terrível e no funeral na noite seguinte participaram de um jogo de faz de conta para mim e para o resto da comunidade da Abnegação, dizendo, mesmo em seu silêncio, *Ninguém jamais nos deixaria. Quem iria querer fazer uma coisa dessas?*

Eu não deveria ficar tão surpreso em descobrir que uma facção está cheia de mentirosos, mas acho que alguma parte de mim ainda é ingênua como uma criança.

Mas isso mudou.

— Pense bem — diz Evelyn. — Essas pessoas, que falam para uma criança que sua mãe morreu apenas para manter as aparências, são realmente o tipo de pessoa que você quer ajudar? Ou você quer ajudar a tirá-las do poder?

Eu acreditava que sabia o que queria. Aquelas pessoas inocentes da Abnegação, com seus atos constantes de serviço voluntário e suas cabeças baixas em deferência, precisavam ser salvas.

Mas aqueles *mentirosos*, que forçaram o meu luto, que me deixaram sozinho com o homem que me causou tanta dor, será que eles deveriam ser salvos?

Não consigo olhar para ela, não consigo responder. Espero o trem passar pela plataforma e salto sem olhar para trás.

+ + +

— Não me leve a mal, mas você está com uma cara péssima.

Shauna afunda na cadeira ao lado da minha, pousando sua bandeja sobre a mesa. Parece que a conversa de ontem com minha mãe foi um estrondo repentino, de estourar os tímpanos, e agora todos os sons que ouço estão abafados. Sempre soube que meu pai era cruel. Mas acreditava que os outros membros da Abnegação eram inocentes; no fundo, sempre me considerei fraco por ter deixado a facção, era como se eu tivesse traído os meus próprios valores.

Agora, parece que, não importa o que eu escolha, sempre acabo traindo alguém. Se alertar a Abnegação sobre o plano de ataque que encontrei no computador de Max, trairei a Audácia. Se não os alertar, trairei a minha antiga facção outra vez, e de uma maneira muito mais séria do que antes. Não tenho escolha senão decidir, e a ideia de ter que decidir me dá náuseas.

Passei o dia de hoje do único jeito que sei: levantei-me e fui trabalhar. Divulguei as posições dos iniciandos, o que gerou certo atrito, porque defendi que o progresso deveria ter um peso maior sobre os resultados, e Eric defendeu que esse peso deveria ser dado à consistência. Fui comer.

Funcionei no automático, como se me movesse usando apenas memória muscular.

— Você vai comer isso? — pergunta Shauna, apontando para o meu prato cheio de comida.

Dou de ombros.

— Talvez — respondo.

Dá para perceber que ela está prestes a perguntar o que há de errado comigo, então mudo de assunto.

— Como está Lynn?

— Você deve saber melhor do que eu — diz ela. — Já que consegue ver os medos dela e tudo mais.

Corto um pedaço de carne e mastigo.

— Como é? — pergunta ela cautelosamente, erguendo uma sobrancelha ao olhar para mim. — Quer dizer, ver todos os medos deles.

— Não posso falar com você sobre os medos deles — digo. — Você sabe disso.

— É uma regra sua ou da Audácia?

— Isso importa?

Shauna suspira.

— É só que, às vezes, parece que eu nem a conheço mais.

Passamos o resto da refeição em silêncio. É isso que mais gosto na Shauna: ela não sente a necessidade de falar só por falar. Quando terminamos, deixamos o refeitório juntos, e Zeke nos chama do outro lado do Fosso.

— Ei! — diz ele. Ele está girando um rolo de esparadrapo no dedo. — Querem ir socar alguma coisa?

— Sim — respondemos Shauna e eu, em uníssono.

Caminhamos em direção à sala de treinamento, e Shauna conta para Zeke como foi sua semana na cerca:

— Há dois dias, um idiota com quem eu estava patrulhando começou a surtar, jurando ter visto algo lá fora... Acabou que não passava de um *saco plástico*.

Zeke desliza o braço sobre os ombros dela. Corro os dedos sobre as juntas das minhas mãos e tento não atrapalhá-los.

Quando nos aproximamos da sala de treinamento, penso ouvir vozes lá dentro. Franzindo a testa, abro a porta com o pé. Na sala estão Lynn, Uriah, Marlene e... Tris. O encontro de todos esses mundos me desconcerta um pouco.

— Bem que eu pensei ter ouvido alguma coisa daqui de dentro — digo.

Uriah está atirando contra um alvo com uma das armas de brinquedo, do tipo que os membros da Audácia usam por diversão. Tenho certeza de que a arma não é dele, então deve ser do Zeke. Enquanto isso, Marlene mastiga algo. Ela sorri para mim e acena quando entro.

— Parece que é o idiota do meu irmão — diz Zeke. — Vocês não deveriam estar aqui tão tarde. Cuidado, ou o Quatro pode contar para o Eric, e aí vocês vão se ferrar.

Uriah guarda a arma de brinquedo na cintura da calça, contra as costas, sem acionar a trava de segurança. Ele provavelmente vai acabar com uma ferida na bunda quando a arma disparar dentro da sua calça. Não comento nada.

Seguro a porta para que eles saiam. Ao passar por mim, Lynn diz:

— Você não nos deduraria ao Eric.

— Não, eu não faria isso — digo. Quando Tris passa por mim, estendo a mão, e ela se encaixa automaticamente no espaço entre suas omoplatas. Nem sei se meu gesto foi intencional ou não. E não me importo.

Os outros começam a descer o corredor. Nosso plano original de passar um tempo na sala de treinamento é esquecido quando Uriah e Zeke começam a discutir e Shauna e Marlene dividem o resto de um bolinho.

— Espere um pouco — digo para Tris. Ela se vira para mim com um olhar preocupado, então tento sorrir, mas é difícil sorrir em um momento como este.

Notei certa tensão na sala de treinamento quando divulguei as posições hoje mais cedo. Mas nunca pensei, quando estava somando os pontos dos iniciandos, que talvez devesse reduzir os pontos dela para protegê-la. Teria sido um insulto à sua habilidade nas simulações colocá-la em uma posição mais baixa na lista, mas talvez ela preferisse o insulto ao afastamento crescente entre ela e os outros transferidos.

Apesar de Tris estar pálida e exausta, e de haver pequenos cortes ao redor das suas unhas e uma expressão vacilante nos seus olhos, sei que esse não é o caso. Essa garota nunca gostaria de ser resguardada seguramente no meio do grupo, nunca.

— Você sabe que aqui é o seu lugar, não sabe? — digo. — Seu lugar é conosco. Logo, isso tudo vai terminar, então aguente só mais um pouco, está bem?

De repente, sinto um calor na nuca e a coço com a mão, sem conseguir olhar nos olhos dela, embora consiga *senti-los* em mim enquanto o silêncio se estende.

Ela desliza os dedos entre os meus, e eu a encaro, perplexo. Aperto a mão dela de leve e, imerso em minha confusão e exaustão, percebo que, apesar de já ter tocado nela algumas vezes, sempre em um lapso de julgamento, esta é a primeira vez que ela retribuiu o toque.

Ela se vira e corre atrás dos seus amigos.

E eu fico parado no corredor, sozinho, sorrindo como um idiota.

+ + +

Passo quase uma hora tentando dormir, virando de um lado para o outro sob as cobertas à procura de uma posição confortável. Mas parece que alguém substituiu meu colchão por um saco de pedras. Ou talvez minha mente esteja agitada demais para dormir.

Acabo desistindo, calçando os sapatos, vestindo a jaqueta e caminhando até a Pira, como sempre faço quando não tenho sono. Penso em rodar o programa da paisagem do medo outra vez, mas me esqueci de reabastecer minha provisão de soro à tarde, e seria muito difícil conseguir um pouco agora. Decido seguir até a sala de controle, onde Gus me recebe com um grunhido, e os outros dois funcionários do turno nem notam quando entro.

Não tento bisbilhotar os arquivos de Max de novo. Acho que já sei tudo o que preciso saber, ou seja, que algo ruim vai acontecer, e não tenho a menor ideia se vou tentar impedir isso ou não.

Preciso contar a *alguém*, preciso de *alguém* com quem dividir este fardo, para me dizer o que devo fazer. Mas não há ninguém aqui a quem eu confiaria algo assim. Até os meus amigos nasceram e cresceram na Audácia; como saber se eles não acreditariam implicitamente nos seus líderes? É impossível.

Por algum motivo, o rosto de Tris me vem à mente, aberto, mas sério, segurando minha mão no corredor.

Observo as imagens de segurança, vendo as ruas da cidade, depois retornando ao complexo da Audácia. A maioria dos corredores está tão escura que eu não conseguiria ver nada, mesmo se houvesse algo para ver. Nos fones de ouvido, ouço apenas o correr da água do abismo e o assobio do vento pelos corredores. Suspiro, apoiando a cabeça na mão, e assisto às imagens mudando, uma seguida da outra, permitindo que elas me ninem em algo como um sono.

— Vá para a cama, Quatro — diz Gus do outro lado da sala.

Acordo com um susto e aceno com a cabeça. Se não estou realmente assistindo às imagens, não é uma boa ideia permanecer na sala de controle. Desconecto o meu usuário e desço o corredor até o elevador, piscando para tentar acordar.

Ao atravessar o saguão, ouço um grito vindo de baixo, do Fosso. Não é um grito de diversão de alguém da Audácia, ou um grito de alguém que tomou um susto e gostou; não é nada além do tom alto e muito distinto que indica terror.

Pequenas pedras se espalham atrás de mim enquanto corro até o fundo do Fosso, com a respiração rápida e pesada, mas constante.

Três pessoas altas, com roupas pretas, estão perto da grade abaixo. Elas estão todas ao redor de uma quarta pessoa, mais baixa, e, apesar de não conseguir ver muita coisa, sei reconhecer uma briga. Na verdade, não é propriamente uma briga, porque são três contra um.

Um dos agressores se vira, me vê e corre na direção oposta. Ao me aproximar, vejo outro agressor levantar a vítima sobre o abismo e grito:

— Ei!

Vejo o cabelo dela, loiro, e quase não consigo enxergar mais nada. Choco-me contra um deles, Drew, que identifico pelo cabelo vermelho-alaranjado, e o lanço contra a grade do abismo. Soco o seu rosto uma, duas, três vezes, e ele desaba no chão, depois começo a chutá-lo, e não consigo pensar, não consigo pensar em nada.

— Quatro. — A voz dela é baixa, fraca, e é a única coisa capaz de me alcançar neste lugar. Ela está agarrada à grade, pendurada sobre o abismo, como uma isca em um anzol. O outro agressor fugiu.

Corro na direção dela, segurando-a sob os ombros, e a puxo por cima da grade. Abraço-a contra o meu corpo. Ela encosta o rosto no meu ombro, emaranhando seus dedos na minha camisa.

Drew está no chão, desmaiado. Ouço-o gemendo enquanto a levo embora, não para a enfermaria, onde seus agressores saberiam onde encontrá-la, mas para o meu apartamento, naquele corredor vazio e afastado. Empurro a porta, entro no apartamento e a deito na cama. Corro os dedos por seu nariz e suas bochechas para conferir se há alguma fratura, depois sinto o seu pulso e aproximo o meu rosto dela para ouvir a sua respiração. Tudo parece normal, estável. Até o galo atrás da sua cabeça, embora inchado e arranhado, não parece nada sério. Ela não está muito machucada, mas poderia ter se ferido seriamente.

Minhas mãos tremem quando me afasto dela. *Ela não está muito machucada, mas talvez Drew esteja.* Nem sei quantas vezes o acertei antes de ela chamar o meu nome e me acordar do meu transe. O resto do meu corpo também começa a tremer, e me certifico de que há um travesseiro apoiando sua cabeça antes de deixar o apartamento para voltar à grade ao lado do Fosso. No caminho, tento repassar os últimos minutos na minha mente, tento lembrar onde bati nele, quando e com quanta força, mas tudo está perdido em um acesso confuso de raiva.

Será que ele também se sentia assim?, penso, lembrando-me do olhar selvagem e desvairado de Marcus sempre que ele ficava com raiva.

Quando alcanço a grade, Drew ainda está lá, deitado em uma posição estranha. Apoio o braço dele nos meus ombros e o ergo o máximo que consigo, arrastando-o até a enfermaria.

+ + +

Quando volto para o apartamento, entro imediatamente no banheiro para lavar o sangue das mãos. Algumas juntas estão feridas, cortadas pelo impacto com o rosto de Drew. Se Drew estava lá, o outro agressor certamente era Peter, mas quem era o terceiro? Não era Molly. A figura era alta demais, grande demais. Aliás, só há um iniciando daquele tamanho.

Al.

Examino o meu reflexo no espelho, como se fosse ver pequenos pedaços do Marcus me encarando de volta. Há um corte no canto da minha boca. Será que Drew revidou em algum momento? Não importa. Meu lapso de memória não importa. O que importa é que Tris está respirando.

Mantenho as mãos sob a água gelada até ela voltar a correr transparente, depois as enxugo na toalha e vou buscar um saco de gelo no congelador. Quando levo o saco até ela, percebo que acordou.

— Suas mãos — diz ela, e é uma coisa tão ridícula de dizer, tão idiota, estar preocupada com minhas *mãos* depois de ser pendurada pelo pescoço sobre o abismo.

— Você não precisa se preocupar com minhas mãos — respondo, irritado.

Inclino-me sobre ela, posicionando o saco de gelo sob sua cabeça, onde senti o galo mais cedo. Ela levanta a mão e toca a minha boca de leve com as pontas dos dedos.

Nunca pensei ser possível sentir um toque dessa maneira, como um choque. Seus dedos são macios, curiosos.

— Tris — digo —, eu estou bem.

— Por que você estava lá?

— Eu estava voltando da sala de controle. Ouvi um grito.

— O que você fez com eles?

— Deixei Drew na enfermaria há meia hora. Peter e Al correram. Drew disse que eles estavam apenas tentando assustar você. Pelo menos, eu acho que era isso o que estava tentando dizer.

— Ele está muito machucado?

— Ele vai sobreviver. Só não sei em que condições — digo com raiva.

Eu não deveria permitir que ela visse esse meu lado, o lado que sente prazer com a dor de Drew. Eu não deveria nem *ter* esse lado.

Ela estende a mão e aperta o meu braço.

— Que bom — diz.

Eu a encaro. Ela também tem esse lado, com certeza tem. Vi como Tris ficou quando bateu na Molly, como se quisesse continuar, mesmo com a oponente inconsciente. Talvez ela e eu sejamos iguais.

Tris contorce o rosto, depois começa a chorar. Geralmente, quando alguém chora na minha frente, sinto-me comprimido, como se precisasse escapar da sua companhia para respirar. Não é assim com ela. Com Tris, não me preocupo que ela espere demais de mim ou que precise de qualquer coisa de mim. Ajoelho-me no chão, para ficarmos no mesmo nível, e a observo por um instante. Depois, levo a mão à sua bochecha, com cuidado para não tocar nenhuma das suas feridas, que ainda estão inchando. Corro o dedo pela maçã do seu rosto. A pele dela está morna.

Não encontro a palavra certa para descrever sua aparência, mas mesmo agora, com partes do rosto inchadas e manchadas por hematomas, há algo de surpreendente nela, algo que eu nunca tinha percebido antes.

Neste momento, consigo aceitar a inevitabilidade do que sinto, embora não com alegria. Preciso conversar com alguém. Preciso confiar em alguém. E, embora não saiba por que, eu sei, *sei* que ela é a pessoa certa.

Vou ter que começar revelando o meu nome.

+ + +

Aproximo-me de Eric na fila do café da manhã, parando atrás dele com minha bandeja enquanto ele usa uma colher com cabo longo para se servir de ovo mexido.

— Se eu dissesse que um dos iniciandos foi atacado ontem à noite por um grupo de outros iniciandos — digo —, você se importaria?

Ele empurra os ovos para um lado do prato e ergue um ombro.

— Poderia me importar com o fato de o instrutor deles parecer estar perdendo o controle dos seus iniciandos — diz Eric, enquanto pego uma tigela de cereais. Ele olha para as juntas feridas na minha mão. — Poderia me importar com o fato de que o suposto ataque já seria o *segundo* sob o comando do tal instrutor... Enquanto isso, os iniciandos nascidos na Audácia não parecem ter o mesmo problema.

— As tensões entre os transferidos é naturalmente maior. Eles não se conhecem, não conhecem essa facção, e seus históricos são completamente diferentes. E você é líder deles. Será que você não deveria ser o responsável por mantê-los 'sob controle'?

Ele coloca uma fatia de torrada ao lado dos ovos usando uma pinça. Depois, aproxima-se do meu ouvido.

— Você está brincando com fogo, *Tobias* — diz ele. — Discutindo comigo na frente dos outros. Resultados de simulações 'perdidos'. Sua preferência escancarada pelos iniciandos mais fracos nas posições. Até o Max já concorda comigo. Se um ataque realmente *tivesse* acontecido, acho que ele não ficaria muito feliz com você, e talvez concordasse se eu sugerisse que você fosse removido do seu posto.

— Você ficaria sem um instrutor uma semana antes do fim da iniciação.

— Consigo terminar isso sozinho.

— Já consigo *imaginar* como seria o treinamento sob seu controle — digo, semicerrando os olhos. — Nem precisaríamos fazer cortes. Eles todos morreriam ou abandonariam a iniciação por conta própria.

— Se não tiver cuidado, não precisará imaginar nada. — Ele chega ao fim da fila e se vira para mim. — Ambientes competitivos geram tensões, Quatro. É natural que as tensões sejam liberadas de alguma maneira. — Ele abre um pequeno sorriso, esticando a pele entre seus piercings. — Um ataque certamente nos mostraria, em uma situação real, quem são os fortes e quem são os fracos, não acha? Assim, nem precisaríamos dos resultados dos testes. Poderíamos tomar uma decisão com mais embasamento sobre quem pertence a este lugar ou não. Isto é... se um ataque realmente tivesse acontecido.

A implicação do que ele está dizendo é clara: como sobrevivente do ataque, Tris seria vista como mais fraca do que os outros iniciandos, e como alguém a ser eliminado. Eric não tentaria salvar a vítima, preferindo defender a sua expulsão da Audácia, como fez antes de Edward decidir ir embora por conta própria. Não quero que Tris seja forçada a se tornar uma sem-facção.

— Está certo — digo baixinho. — Que bom que não ocorreu nenhum ataque recentemente, então.

Derramo um pouco de leite na minha tigela de cereais e caminho até a mesa. Eric não punirá Peter, Drew ou Al, e não posso fazer nada sem sair da linha e sofrer as consequências. Mas talvez não precise fazer isso sozinho. Pouso a bandeja na mesa, entre Zeke e Shauna, e digo:

— Preciso da ajuda de vocês.

+ + +

Depois que a explicação sobre a paisagem do medo acaba e os iniciandos são liberados para almoçar, levo Peter para a sala de observação, ao lado da sala vazia de simulação. Nela há fileiras de cadeiras para os iniciandos se sentarem enquanto esperam para realizar os seus exames finais. Lá, também estão Zeke e Shauna.

— Precisamos ter uma conversa — digo.

Zeke pula na direção de Peter, lançando-o contra a parede de concreto com uma força preocupante. Peter bate com a cabeça na parede e contrai o rosto.

— Oi, tudo bem? — diz Zeke, e Shauna se aproxima deles, girando uma faca na palma da mão.

— O que está acontecendo? — pergunta Peter. Ele não parece nem um pouco amedrontado, mesmo quando Shauna segura o cabo da faca e encosta a ponta na sua bochecha, criando uma covinha. — Estão tentando me *assustar*? — Ele ri com deboche.

— Não — digo. — Estamos tentando provar uma coisa. Você não é o único que tem amigos dispostos a causar algum prejuízo.

— Acho que os instrutores da iniciação não deveriam ameaçar iniciandos, você não concorda? — Peter me encara com os olhos arregalados que eu até poderia confundir com inocência, se não conhecesse a sua verdadeira natureza. — Mas precisarei perguntar ao Eric, só para ter certeza.

— Eu não o ameacei — digo. — Não estou nem tocando em você. E, segundo as imagens armazenadas nos computadores da sala de controle, nem estamos aqui agora.

Zeke abre um sorriso, como se não conseguisse se conter. Essa ideia foi dele.

— Sou eu quem está ameaçando você — diz Shauna, quase rosnando. — Mais um acesso de violência e vou lhe ensinar uma coisa sobre justiça. — Ela segura a ponta da faca diante do olho dele e a abaixa bem devagar, pressionando-a contra sua pálpebra. Peter fica paralisado, mal se mexendo, nem para respirar. — Olho por olho. Ferida por ferida.

— Eric talvez não se importe por você perseguir seus colegas — diz Zeke —, mas nós nos importamos, e existem muitos membros da Audácia como nós. Pessoas que acreditam que não devemos agredir nossos colegas de facção. Pessoas que ouvem fofocas e as espalham rapidamente. Não demorará muito para revelarmos a eles o tipo de verme que você é, ou para eles tornarem a sua vida muito, muito difícil. Sabe, na Audácia, a primeira impressão é a que costuma ficar.

— Vamos começar por todos os seus possíveis empregadores — diz Shauna. — O Zeke pode falar com os supervisores da sala de controle, e eu posso falar com os líderes da cerca. A Tori conhece todos no Fosso. Quatro, você é amigo da Tori, não é?

— Sou, sim — digo. Aproximo-me de Peter e inclino a cabeça para o lado. — Você pode até conseguir causar dor aos outros, iniciando... mas nós conseguiremos lhe causar uma vida inteira de sofrimento.

Shauna afasta a faca do olho de Peter.

— Pense sobre isso — diz ela.

Zeke solta a camisa de Peter e a alisa, ainda com um sorriso no rosto. De alguma maneira, a combinação da ferocidade de Shauna e da animação de Zeke é estranha o bastante para ser ameaçadora. Zeke acena para Peter, e todos deixamos a sala juntos.

— Você quer que conversemos com as pessoas de qualquer maneira, não é? — pergunta Zeke.

— Sim, claro — respondo. — Com certeza. Não apenas sobre Peter, mas também Drew e Al.

— Quem sabe, se ele sobreviver à iniciação, eu o faça tropeçar sem querer e cair dentro do abismo — diz Zeke com a voz esperançosa, fazendo um gesto de mergulho com a mão.

+ + +

Na manhã seguinte, há uma multidão reunida ao redor do abismo, todos parados em silêncio, embora o cheiro do café da manhã seja bastante convidativo na direção do refeitório. Não pergunto por que eles estão reunidos.

Ouvi dizer que isso acontece quase todo ano. Uma morte. Como a de Amah, repentina, terrível e um desperdício. Um corpo pescado do abismo, como um peixe em um anzol. Geralmente, é alguém jovem, um acidente causado por algum desafio perigoso que deu errado ou talvez não seja um acidente, mas uma mente ferida, ainda mais prejudicada pela escuridão, pela pressão e pela dor da Audácia.

Não sei como me sentir a respeito dessas mortes. Culpado, talvez, por não ter percebido a dor. Triste, porque certas pessoas não conseguem encontrar outra forma de escapar.

Ouço o nome do falecido dito por alguém adiante, e as duas emoções me atingem com tudo.

Al. Al. Al.

Meu iniciando, *minha responsabilidade*, e eu falhei, porque estive tão obcecado em pegar Max e Jeanine, ou em culpar Eric por tudo, ou na minha decisão a respeito de avisar a Abnegação ou não. Mas nada me incomoda tanto quanto isto: distanciei-me deles pela minha própria proteção, quando deveria estar ajudando-os a sair dos lugares obscuros deste lugar, na direção de lugares mais claros. As risadas com amigos nas pedras do abismo. As tatuagens de madrugada, depois de um jogo de Desafio. Os mares de abraços após o anúncio das posições. Poderia ter mostrado a ele essas coisas. Mesmo se não o tivesse ajudado, deveria ter tentado.

Mas sei de uma coisa: depois que a iniciação deste ano acabar, Eric não terá que se esforçar para me tirar do meu posto. Para mim, já chega.

+ + +

Al. Al. Al.

Por que será que todos os mortos se tornam heróis na Audácia? Por que precisamos que eles se tornem? Talvez, sejam os únicos heróis que conseguimos encontrar em uma facção de líderes corruptos, colegas competitivos e instrutores cínicos. Os mortos podem ser nossos heróis porque não podem mais nos decepcionar; eles apenas melhoram com o tempo, à medida que esquecemos cada vez mais como eram em vida.

Al era inseguro e sensível, depois se tornou invejoso e violento, e então morreu. Homens mais delicados do que Al já sobreviveram, e homens mais durões do que ele já morreram, e não há explicação para nada disso.

Mas Tris quer uma explicação, anseia por uma, e consigo perceber isso na expressão do seu rosto, como um tipo de fome. Ou de raiva. Ou dos dois. Imagino que não seja fácil gostar de uma pessoa, depois odiá-la, e então perdê-la, antes de conseguir absorver esses sentimentos. Sigo-a para longe da multidão que grita, porque sou arrogante o bastante para acreditar que posso fazê-la se sentir melhor.

É, até parece. Talvez eu a siga porque estou cansado de ficar tão afastado de todos, e não tenho mais certeza de que essa é a melhor escolha para mim.

— Tris — digo.

— O que você está fazendo aqui? — pergunta ela, amargamente. — Você não deveria estar prestando as condolências?

— E você, não deveria? — Aproximo-me dela.

— Não posso prestar condolências a alguém que não respeito. — Por um instante, fico surpreso que ela consiga ser tão fria. Tris nem sempre é simpática, mas não costuma agir com indiferença. Ela demora apenas um segundo para balançar a cabeça. — Desculpe, isso não é verdade.

— Ah.

— Isso é ridículo — diz ela, ruborizando. — Ele se joga de um abismo, e Eric o chama de corajoso? Eric, que tentou fazer com que você atirasse facas na cabeça do Al? — O rosto dela se contorce. — Ele não era corajoso! Estava deprimido, era um covarde e quase me matou! É esse o tipo de coisa que devemos respeitar aqui?

— O que você quer que eles façam? — pergunto, da maneira mais gentil possível, o que não é grande coisa. — O condenem? Al já está morto. Ele não poderá ouvir sua condenação. Já é tarde demais para isso.

— A questão não é o Al — diz ela. — A questão são todas as pessoas que estão assistindo! Todas as pessoas que agora acreditam que se jogar do abismo é uma opção válida. Quer dizer, por que não se matar se todos o chamarão de herói depois? Por que não se matar, se todos lembrarão o seu nome? — Mas é claro que a questão é o Al, e ela sabe disso. — É... — Ela está se esforçando, lutando contra si mesma. — Não consigo... Isso *nunca* teria acontecido na Abnegação! Nada disso! Nunca. Este lugar o transformou e o destruiu, e eu não me importo se dizer isso faz de mim uma Careta, não me importo, não me *importo*!

Minha paranoia é tão enraizada que olho automaticamente para a câmera escondida na parede próxima ao bebedouro, disfarçada por uma lâmpada azul. As pessoas na sala de controle conseguem nos ver, e, se a sorte nos falhar, eles também poderão escolher este momento para escutar o que estamos falando. Já consigo imaginar o Eric chamando a Tris de traidora de facção e o corpo dela jogado na calçada, perto dos trilhos...

— Cuidado, Tris! — digo.

— Isso é tudo o que você tem a dizer? — Ela franze a testa ao me encarar. — Que eu devo ter *cuidado*? Só isso?

Entendo que a minha resposta não é bem o que ela esperava, mas, para alguém que acabou de recriminar a imprudência da Audácia, ela certamente está agindo como um deles.

— Você é pior do que um membro da Franqueza, sabia? — digo. Os membros da Franqueza nunca calam a boca ou pensam nas consequências das suas palavras. Eu a puxo para longe do bebedouro, e então aproximo meu rosto do seu, e consigo ver seus olhos mortos flutuando na água do rio subterrâneo, e não aguento mais, não depois de ela ter sido atacada em uma situação na qual só Deus sabe o que poderia ter acontecido se eu não tivesse ouvido o seu grito.

— Só vou dizer isso uma vez, então escute bem. — Pouso as mãos nos seus ombros. — Eles estão observando você. *Você*, em especial.

Lembro-me do olhar de Eric para ela depois da sessão de lançamento de facas. Das suas perguntas sobre os dados de simulação dela, apagados. Eu disse que eles haviam sido apagados por um dano causado pela água. Ele achou interessante que esse dano ocorreu apenas cinco minutos depois do fim da simulação de Tris. *Interessante*.

— Me solta — diz ela.

Eu a solto imediatamente. Não gosto de como a voz dela soa.

— Eles também estão observando você?

Sempre observaram e nunca vão deixar de observar.

— Eu fico tentando te ajudar — digo —, mas você se recusa a ser ajudada.

— Ah, tá. Que *ajuda*! — diz ela. — Cortar minha orelha com uma faca, me provocar e gritar comigo mais do que com qualquer outra pessoa realmente são coisas que me ajudam muito.

— Provocar você? Você quer dizer, quando eu atirei as facas? Eu não estava provocando você. — Balanço a cabeça. — Eu estava tentando fazer você se lembrar de que, se você fracassasse, outra pessoa teria que tomar o seu lugar.

Para mim, naquele momento, isso pareceu quase óbvio. Pensei que, como Tris parecia me compreender melhor do que a maioria das pessoas, também entenderia aquilo. Mas é claro que não entendeu. Ela não consegue ler a minha mente, afinal.

— Por quê? — pergunta ela.

— Porque... você é da Abnegação — digo —, e... é exatamente nos momentos em que você está agindo de maneira altruísta que você é mais corajosa. Se eu fosse você, me esforçaria mais para fingir que esse impulso altruísta está passando, porque, se as pessoas erradas descobrirem... bem, não será nada bom para você.

— Por quê? Por que eles estão tão interessados nas minhas intenções?

— As únicas coisas que interessam a eles são as intenções. Eles tentam convencê-los de que se importam com o que vocês fazem, mas não é verdade. Eles não querem que vocês ajam de determinada maneira. Querem que vocês *pensem* de determinada maneira. Para que seja fácil decifrá-los. Para que vocês não sejam uma ameaça para eles.

Apoio a mão na parede perto do seu rosto e me inclino sobre ela, pensando nas tatuagens que formam uma linha nas minhas costas. Ter feito as tatuagens não me tornou um traidor da facção, mas o que elas significaram para mim, sim: uma fuga do pensamento tacanho inerente a qualquer facção, a mentalidade que dilacera todas as diferentes partes de mim, reduzindo-me a uma única versão de mim mesmo.

— Eu não entendo por que eles se importam tanto com o que eu estou pensando, se eu estiver agindo de acordo com o que eles querem — diz ela.

— Você está agindo como eles querem agora, mas o que acontecerá quando o seu cérebro com inclinação para a Abnegação a levar a fazer algo diferente, algo que eles não querem que você faça?

Por mais que eu goste dele, Zeke é um exemplo perfeito disso. Nascido na Audácia, criado na Audácia, e que escolheu a Audácia. Tenho certeza de que ele sempre encarará as coisas da mesma maneira. Ele foi treinado assim desde criança. Para ele, não existem opções.

— Talvez eu não precise da sua ajuda! Já pensou nisso? — pergunta ela. Quase caio na gargalhada. É claro que ela não precisa de mim. Essa nunca foi a questão. — Não sou fraca, sabia? Posso encarar isso sozinha.

— Você pensa que o meu instinto imediato é protegê-la. — Mudo a posição do corpo, aproximando-me um pouco mais dela. — Porque você é pequena, ou uma menina, ou uma Careta. Mas você está enganada.

Chego ainda mais perto. Toco o seu queixo e, por um instante, penso em cobrir a distância entre nós completamente.

— Meu instinto *imediato* é de pressionar você até que você ceda, só para ver o quanto terei que empurrar – digo, e é uma confissão estranha, uma confissão perigosa. Não desejo nenhum mal a ela, nunca desejei, e espero que ela entenda que não é isso que quero dizer. – Mas eu me contenho.

— Por que é este o seu instinto imediato?

— Porque o medo não faz com que você se apague – digo. – Ele faz com que você acenda. Já vi isso acontecendo com você. É fascinante. – Seus olhos, em todas as simulações do medo, parecem gelo e aço e chama azul. A garota baixa e magra com os braços fortes. Uma contradição ambulante. Minha mão desliza pela sua mandíbula e toca o seu pescoço. – Às vezes, eu quero apenas ver de novo. Ver você acesa.

A mão dela toca a minha cintura, e ela pressiona seu corpo no meu, ou me puxa para junto do dela, não sei bem qual dos dois. Suas mãos acariciam as minhas costas, e eu a *quero*, com uma intensidade que nunca senti antes, não apenas um impulso físico e irracional, mas um desejo real e específico. Não por "alguém", mas por *ela*.

— Será que eu deveria estar chorando? – pergunta ela, e demoro um pouco para me dar conta de que ela voltou a falar sobre o Al. Que bom, porque, se este abraço a tivesse deixado com vontade de chorar, eu precisaria admitir que não sei nada sobre romance. Aliás, talvez não saiba mesmo. – Será que há algo de errado comigo?

— Você acha que eu entendo alguma coisa de lágrimas? – As minhas brotam sem razão e desaparecem segundos depois.

— Se eu o tivesse perdoado... você acha que ele estaria vivo agora?

— Não sei. — Pouso a mão na sua bochecha, e meus dedos se estendem até a orelha dela. Tris realmente é pequena. Mas não me importo.

— Sinto que isso tudo é minha culpa.

Eu também sinto que é minha culpa.

— Não é sua culpa. — Apoio a testa na dela. Sua respiração quente toca o meu rosto. Eu estava certo, isto é melhor do que manter distância, muito melhor.

— Mas eu devia. Devia tê-lo perdoado.

— Talvez. Talvez todos nós pudéssemos ter feito mais por ele — digo, depois solto um chavão da Abnegação sem querer: — Mas nós devemos apenas fazer com que a culpa nos ajude a fazer mais no futuro.

Ela se afasta imediatamente, e sinto o impulso familiar de ser cruel com ela, para que ela esqueça o que eu disse, para não me fazer perguntas.

— De que facção você veio, Quatro?

Acho que você sabe.

— Isso não importa. É aqui que estou agora. E você deveria se lembrar disso também.

Não quero mais estar perto dela; ao mesmo tempo, isso é tudo o que quero fazer.

Quero beijá-la; agora não é a hora.

Roço os lábios em sua testa, e nenhum de nós dois se move. Agora não há mais como voltar atrás, não para mim.

+ + +

Algo que ela disse ecoa na minha mente o dia inteiro. *Isso nunca teria acontecido na Abnegação.*

A princípio, penso, *Ela simplesmente não sabe como eles realmente são.*

Mas estou errado, e ela está certa. Al não teria morrido na Abnegação, e também não a teria atacado. Eles talvez não sejam tão puros quanto eu acreditava, ou queria acreditar, mas certamente não são maus.

Vejo o mapa do setor da Abnegação que encontrei no computador de Max gravado na parte interna de minhas pálpebras sempre que fecho os olhos. Sou um traidor de qualquer maneira, alertando-os ou não. Sou um traidor de qualquer maneira, para uma coisa ou outra. Portanto, se a lealdade é impossível, pelo que devo lutar?

+ + +

Demoro algum tempo para bolar um plano. Se ela fosse uma garota normal da Audácia e eu fosse um garoto normal da Audácia, eu a chamaria para sair comigo, e nós daríamos uns amassos perto do abismo, e talvez eu exibisse o meu conhecimento sobre a sede da Audácia. Mas isso parece normal demais depois das coisas que dissemos um para o outro, depois que vi as partes mais sombrias da sua mente.

Talvez seja esse o problema. Agora, a situação está muito unilateral, porque sei tudo sobre ela, sei do que ela tem medo, o que ama e odeia, mas tudo o que ela sabe sobre mim é o que contei para ela. E o que revelei é tão vago que é como se eu estivesse sendo negligente, porque não sou muito bom com detalhes.

Depois disso, sei o que fazer; o problema é como fazê-lo.

Ligo o computador na sala da paisagem do medo e o preparo para rodar com o meu programa. Pego duas seringas de soro de simulação no depósito e guardo-as na pequena caixa de madeira que tenho justamente para isso. Depois, sigo até o dormitório dos transferidos, sem saber ao certo como conseguirei ficar sozinho com ela tempo o bastante para convidá-la a vir comigo.

Mas então vejo-a com Will e Christina, perto da grade, e sinto que deveria chamá-la, mas não consigo. Será que estou louco em pensar em deixá-la entrar na minha cabeça? Deixar que ela veja Marcus, descubra meu nome, e saiba tudo o que me esforcei tanto para esconder?

Começo a subir o caminho do Fosso outra vez, com o estômago revirando. Alcanço o saguão, e as luzes da cidade estão começando a se apagar ao meu redor. Ouço passos na escada. Ela veio atrás de mim.

Viro a caixa preta na mão.

— Já que você está aqui — digo, fingindo um tom casual, o que é ridículo —, é melhor que venha comigo de uma vez.

— Para dentro da paisagem do medo?

— É.

— Eu posso fazer isso?

— O soro nos conecta ao programa, mas é ele que determina de quem será a paisagem na qual entraremos. E agora ele está programado para reproduzir a minha.

— Você vai deixar que eu veja a sua paisagem do medo?

Não consigo realmente olhar para ela.

— Por que você acha que eu estou entrando? — Meu estômago está doendo ainda mais. — Quero te mostrar algumas coisas.

Abro a caixa e retiro a primeira seringa. Ela inclina a cabeça para o lado, e injeto o soro, como sempre fazemos durante as simulações do medo. Mas, em vez de me injetar com a outra seringa, ofereço a ela a caixa. O objetivo disso é ficarmos quites, afinal.

— Nunca fiz isso antes — diz ela.

— Bem aqui. — Toco no lugar onde a seringa deve ser injetada. Ela treme um pouco ao inserir a agulha, e a dor profunda é familiar, mas não me incomoda mais. Já fiz isso muitas vezes. Observo seu rosto. Não há como voltar atrás, não há como voltar atrás. É hora de ver do que nós dois somos feitos.

— Tente descobrir por que me chamam de Quatro.

A porta se fecha atrás de nós, e a sala fica escura. Ela se aproxima de mim e pergunta:

— Qual é o seu verdadeiro nome?

— Tente descobrir isso também.

A simulação começa.

A sala se abre, revelando um vasto céu azul, e nós dois estamos no teto de um edifício, cercados pela cidade, que reluz sob o sol. Ela parece linda por apenas alguns segundos, antes de o vento começar a soprar, impiedoso e poderoso. Coloco o braço ao redor dela, porque sei que, neste lugar, ela é mais estável do que eu.

Respiro com dificuldade, o que é normal para mim quando estou aqui. O turbilhão de ar me sufoca, e a altura me dá vontade de me encolher e me esconder.

— Precisamos pular, não é? — pergunta ela, e eu me lembro de que não posso simplesmente fugir; preciso encarar isso agora.

Faço que sim com a cabeça.

— No três, está bem?

Assinto outra vez. Tudo o que preciso fazer é segui-la, só isso.

Ela conta até três e me puxa enquanto corre, como se ela fosse um veleiro, e eu a âncora, empurrando os dois para baixo. Nós dois caímos, e luto contra a sensação com todas as minhas forças, com o terror gritando em cada nervo do meu corpo, e, de repente, estou no chão, agarrando o peito.

Ela me ajuda a levantar. Sinto-me idiota, lembrando como Tris escalou a roda gigante sem hesitar.

— E o que vem em seguida?

Quero falar para ela que isto não é um jogo; meus medos não são atrações de um parque de diversões. Mas não deve ser isso que ela quis dizer.

— É...

As paredes vêm de todos os lados, atingindo as suas costas, as minhas costas, nossas costelas. Ela se espreme contra meu corpo, mais perto do que jamais estivemos.

— Confinamento — digo, e a situação é pior com ela aqui, usando metade do ar. Solto um pequeno gemido, inclinando-me sobre ela. Odeio estar aqui. *Odeio* estar aqui.

— Ei — diz ela. — Está tudo bem. Veja...

Ela puxa o meu braço ao redor do seu corpo. Sempre pensei nela como uma pessoa magra, mas sua cintura é macia.

— É a primeira vez que me sinto feliz por ser tão pequena — diz ela.

— Mmmm.

Ela fala sobre como podemos escapar. Uma estratégia para a paisagem do medo. Mas só estou tentando me concentrar em respirar. Depois, ela puxa nossos corpos para baixo e se vira, encostando as costas no meu peito, e eu a envolvo completamente.

— Isto é pior — digo, porque, com a combinação do meu nervosismo a respeito da caixa e o meu nervosismo a respeito de tocá-la, não consigo nem pensar direito. — Isto é muito...

— Silêncio. Coloque os braços ao redor de mim.

Coloco o braço em volta da sua cintura e enterro o rosto em seu ombro. Ela cheira a sabonete da Audácia e a um cheiro doce, como maçã.

Ela começa a falar novamente sobre a paisagem do medo, e eu ouço, mas também estou concentrado em como ela está se *sentindo*.

— Então tente se esquecer de que estamos aqui — conclui ela.

— É mesmo? — Aproximo a minha boca da sua orelha, desta vez de propósito, para manter a distração em andamento, e também porque desconfio que não sou o único que está distraído. — É fácil assim, não é?

— Sabe, a maioria dos garotos adoraria estar trancada em um lugar fechado com uma garota.

— Não os claustrofóbicos, Tris!

— Tudo bem, tudo bem. — Ela guia a minha mão até seu peito, bem abaixo da clavícula. De repente, só consigo pensar no que quero, que não tem nada a ver com sair da caixa. – Sinta o ritmo do meu coração. Você consegue senti-lo?

– Sim.

– Você percebe como ele está estável?

Abro um sorriso, com o rosto contra o seu ombro.

– Ele está acelerado.

– É, bem, mas isso não tem nada a ver com a caixa. – É claro que não. – Toda vez que você me sentir respirar, respire junto. Concentre-se nisso.

Respiramos juntos, uma, duas vezes.

– Por que você não me diz de onde vem este medo? Talvez falar sobre isso nos ajude... de alguma maneira.

Sinto que este medo já deveria ter desaparecido, mas ela está me mantendo em um nível constante de inquietude aguçada, e não acabando completamente com o meu medo. Tento me concentrar na origem desta caixa.

– Bem... está bem. – *Está certo, vamos lá, apenas diga algo real.* – Vem... da minha maravilhosa infância. Castigos para uma criança. O minúsculo armário do andar de cima.

Trancado no escuro para pensar no que fiz. Era melhor do que os outros castigos, mas, às vezes, eu passava tempo demais lá, desesperado por ar puro.

– Minha mãe mantinha nossas roupas de inverno no armário – diz ela, uma coisa tola para se dizer depois do que acabei de revelar a ela, mas dá para perceber que ela não sabe mais o que fazer.

– Eu não quero mais falar sobre isso – digo, arquejando. Ela não sabe o que dizer porque ninguém saberia o que dizer, pois a minha dor da infância é patética demais para que outras pessoas lidem com ela. Meu batimento cardíaco acelera outra vez.

— Tudo bem. Então... eu posso falar. Pergunte-me alguma coisa.

Levanto a cabeça. Isso estava funcionando antes, concentrar-me nela. Seu coração está disparado, e seu corpo está apertado junto ao meu. Dois fortes esqueletos envoltos em músculos, enlaçados; dois transferidos da Abnegação esforçando-se para deixar a tentação do flerte de lado.

— Por que o seu coração está batendo tão rápido, Tris?

— Bem, eu... Eu mal o conheço. — Consigo imaginá-la fazendo uma careta. — Eu mal o conheço, e estou espremida dentro de uma caixa com você, Quatro. O que você esperava?

— Se esta fosse a sua paisagem do medo... — digo — eu estaria nela?

— Não tenho medo de você.

— Claro que você não tem. Mas não foi isso o que eu quis dizer. — O que quis dizer não foi *Você tem medo de mim?*, mas *Sou importante o bastante para aparecer na sua paisagem de qualquer maneira?*

Provavelmente, não. Ela tem razão, mal me conhece. Mesmo assim, o coração dela está disparado.

Solto uma risada, e as paredes quebram, como se minha risada as tivesse abalado e destruído, e o ar se abre ao redor de nós. Respiro fundo, e nos afastamos um do outro. Ela olha para mim, desconfiada.

— Talvez você pertença mesmo é à Franqueza, porque você é uma péssima mentirosa — digo.

— Acho que o meu teste de aptidão descartou completamente essa possibilidade.

— Os testes de aptidão não significam nada.

— O que você está tentando me dizer? Não foi por causa do seu teste que você veio parar na Audácia?

Dou de ombros.

— Não exatamente. Eu...

Vejo algo pelo canto do olho e viro-me para encará-lo. Uma mulher com o rosto comum e facilmente esquecível está parada, sozinha, do outro lado da sala. Entre ela e nós há uma mesa, sobre a qual se encontra uma arma.

— Você precisa matá-la — diz Tris.

— Todas as vezes.

— Ela não é real.

— Ela parece real. Isso tudo parece real.

— Se ela fosse real, já teria matado *você*.

— Tudo bem. É só eu... acabar logo com isso. — Começo a caminhar em direção à mesa. — Esta não é tão difícil assim. Não me causa tanto pânico.

O pânico e o terror não são os únicos tipos de medo. Existem outros mais profundos, mais terríveis. A apreensão e o pavor extremamente profundo.

Carrego a arma sem nem pensar duas vezes, aponto-a para a frente e olho para o rosto da mulher. Ele está inexpressivo, como se ela soubesse o que farei e aceitasse isso.

Ela não veste as roupas de nenhuma facção, mas poderia ser da Abnegação, parada assim, esperando que eu a machuque, como eles fariam. Como eles farão se Max, Jeanine e Evelyn conseguirem o que querem.

Fecho um olho para me concentrar no meu alvo e disparo.

Ela desaba, e penso nos socos que dei em Drew até ele quase perder a consciência.

A mão de Tris agarra o meu braço.

— Venha. Vamos embora. Vamos seguir em frente — diz ela.

Passamos diante da mesa, e estremeço de medo. Esperar pelo próximo obstáculo talvez seja um medo por si só.

— Lá vamos nós — digo.

Esgueirando-se para dentro do círculo de luz que agora ocupamos, caminhando ao redor dele, de modo que apenas a ponta do seu sapato fique visível. Então, ele se aproxima de nós, Marcus, com cavidades escuras no lugar dos olhos, as roupas cinza e o cabelo raspado que exibe os contornos do seu crânio.

— Marcus — sussurra ela.

Eu o observo. Esperando pelo primeiro golpe.

— Esta é a parte em que você descobre meu nome — digo.

— Será que ele é... — Agora ela sabe. Ela saberá para sempre. Não poderei fazê-la esquecer, se quiser. — Tobias.

Faz muito tempo que ninguém diz meu nome dessa maneira, como uma revelação, e não uma ameaça.

Marcus desenrola um cinto do seu punho.

— Isso é para o seu próprio bem — diz ele, e sinto vontade de gritar.

Ele se multiplica imediatamente, cercando-nos, com os cintos arrastando nos ladrilhos brancos. Encolho-me, inclinando o corpo para a frente, esperando, esperando. O cinto é jogado para trás, e contraio o rosto antes mesmo de ele me atingir, mas isso não acontece.

Tris está parada diante de mim, com o braço levantado, tensa da cabeça aos pés. Ela range os dentes enquanto o cinto se enrosca em seu braço, depois o arranca da mão dele e o golpeia. O movimento é tão poderoso que fico impressionado com o quão forte parece, com a *força* com a qual o cinto atinge a pele de Marcus.

Ele se lança contra Tris, e eu me posiciono entre os dois. Desta vez, estou pronto. Pronto para contra-atacar.

Mas o momento não chega. As luzes se acendem, e a paisagem do medo termina.

— Já acabou? — diz ela, e encaro o lugar onde Marcus estava. — Estes eram os seus piores medos? Por que você só tem quatro... Ah.

Ela olha para mim.

— É por isso que o chamam de...

Eu temia que, se ela soubesse do meu pai, olharia para mim com pena, e isso me faria sentir fraco, pequeno e vazio.

Mas ela viu Marcus e o encarou, com raiva e sem medo. Ela não me fez sentir fraco, mas poderoso. Poderoso o bastante para contra-atacar.

Eu a puxo para perto de mim pelo cotovelo e beijo a sua bochecha lentamente, deixando que sua pele esquente a minha. Seguro-a junto a mim, debruçando-me para perto dela.

— Ei. — Ela suspira. — Nós conseguimos.

Corro meus dedos pelo seu cabelo.

— *Você* me ajudou a conseguir — digo.

+ + +

Levo-a para as pedras onde costumo ir às vezes com Zeke e Shauna, de madrugada. Tris e eu nos sentamos em uma pedra plana suspensa sobre a água, e os respingos encharcam as minhas botas, mas não está muito frio, então não ligo. Como todos os iniciandos, ela está concentrada demais no teste de aptidão, e me esforço para conversar com ela sobre ele. Pensei que, ao revelar um segredo, os outros viriam naturalmente, mas começo a perceber que ser mais aberto é um hábito que desenvolvemos com o tempo, e não algo que tenha um interruptor que ligamos quando bem entendemos.

— Não falo dessas coisas para qualquer um, sabia? Nem para os meus amigos. — Observo a água escura e lamacenta e as coisas que ela carrega: pedaços de lixo, roupas descartadas, garrafas flutuantes como pequenos barcos seguindo em uma jornada. — Meu resultado foi o esperado. Abnegação.

— Ah. — Ela franze a testa. — Mas você escolheu a Audácia mesmo assim?

— Por necessidade.

— Por que você precisava sair da Abnegação?

Desvio o olhar, sem saber se posso revelar minhas razões, porque admiti-las faz de mim um traidor da facção, e faz com que eu me sinta um covarde.

— Você precisava fugir do seu pai — diz ela. — É por isso que você não quer ser um líder da Audácia? Porque talvez precisasse vê-lo novamente?

Dou de ombros.

— Por isso e porque eu nunca me senti como se realmente pertencesse à Audácia. Pelo menos, não da maneira como a facção é agora. — Não é exatamente verdade. Não sei se esta é a hora certa de revelar a ela o que sei sobre Max, Jeanine e o ataque. De forma egoísta, quero manter este momento apenas para mim, só por mais um tempinho.

— Mas você é... incrível — diz ela. Levanto as sobrancelhas ao olhar para ela. Ela parece envergonhada. — Quer dizer, pelos padrões da Audácia. Quatro medos é algo inédito. Como este poderia não ser o seu lugar?

Dou de ombros outra vez. Quanto mais o tempo passa, mais acho estranho a minha paisagem do medo não estar cheia de medos, como as de todos os outros. Muitas coisas fazem com que eu me sinta nervoso, ansioso, desconfortável... mas, quando sou confrontado com elas, consigo *agir*, nunca fico paralisado. Contudo, se eu não tomar cuidado, meus quatro medos são capazes de me paralisar. Essa é a única diferença.

— Eu tenho a teoria de que o altruísmo e a coragem não são tão diferentes assim. — Levanto a cabeça e olho para o Fosso, que se ergue acima de nós. Daqui, consigo ver apenas um pedacinho do céu noturno. — Se você passou a vida inteira treinando para se esquecer de si mesmo quando está diante do perigo, isso se torna o seu instinto natural. Meu lugar poderia ser a Abnegação tão facilmente quanto é aqui.

— Pois é. Deixei a Abnegação porque não era altruísta o bastante, por mais que eu tentasse.

— Isso não é inteiramente verdade — digo, sorrindo. — E aquela garota que deixou que alguém atirasse facas contra ela para poupar um amigo; que bateu com um cinto no meu pai para me proteger; aquela garota altruísta não era você?

Sob esta luz, ela parece vinda de outro mundo, com os olhos tão pálidos que parecem reluzir no escuro.

— Você tem prestado bastante atenção, não tem? — pergunta ela, como se tivesse lido os meus pensamentos. Mas Tris não está falando sobre eu olhar para o seu rosto.

— Gosto de observar as pessoas — respondo, dissimuladamente.

— Talvez seu lugar seja mesmo na Franqueza, Quatro, porque você é um péssimo mentiroso.

Pouso a mão ao lado da dela e me aproximo.

— Tudo bem. — Seu nariz longo e fino não está mais inchado do ataque, nem sua boca. Sua boca é bonita. — Eu a observei porque gosto de você. E... não me chame de 'Quatro', está bem? É... bom ouvir meu nome novamente.

Ela parece ficar surpresa.

— Mas você é mais velho do que eu... Tobias.

É tão bom ouvi-la falando o meu nome. Como se não houvesse nada do que se envergonhar.

— Ah, claro. A enorme diferença de dois anos é *intransponível*, não é mesmo?

— Não estou tentando ser autodepreciativa — diz ela com teimosia. — Mas não entendo. Eu sou mais nova. Não sou bonita. Eu...

Solto uma risada e beijo a sua têmpora.

— Não precisa fingir — diz ela, soando um pouco ofegante. — Você sabe que eu não sou. Não sou feia, mas certamente não sou bonita.

A palavra "bonita" e tudo o que ela representa me parecem tão inúteis agora que não tenho nenhuma paciência para isso.

— Tudo bem. Você não é bonita. E daí? — Arrasto meus lábios até sua bochecha, tentando juntar coragem. — Eu gosto da sua aparência. — Eu me afasto. — Você é extremamente esperta. Você é corajosa. E, mesmo que tenha descoberto a questão com o Marcus... Você não está me olhando daquele jeito. Como se eu... fosse algum tipo de cachorrinho abandonado.

— Bem — diz ela com sinceridade. — Você não é.

Meus instintos estavam certos: posso confiar nela. Com meus segredos, minha vergonha, com o nome que abandonei. Com as verdades lindas, e as horríveis. Tenho certeza disso.

Encosto meus lábios nos dela. Nossos olhos se encontram, e eu sorrio e a beijo outra vez, agora com mais segurança.

Não é o bastante. Eu a puxo mais para perto, beijo-a com mais força. Ela ganha vida, envolvendo-me em seus braços e inclinando-se contra mim, mas ainda não basta. Como poderia?

+ + +

Eu a acompanho de volta para o dormitório dos transferidos, as botas ainda úmidas com a água do rio, e ela sorri para mim ao passar pela porta. Começo a caminhar em direção ao meu apartamento, e não demora muito para o alívio animado ser substituído novamente pela inquietação. Entre vê-la ser atingida no braço pelo cinto na minha paisagem do medo e dizer a ela que o altruísmo e a coragem muitas vezes eram a mesma coisa, tomei uma decisão.

Viro no corredor seguinte, não em direção ao meu apartamento, mas à escada que leva para o lado de fora, perto do apartamento de Max. Desacelero ao passar na frente da porta dele, temendo que meus passos sejam altos o bastante para acordá-lo. É uma preocupação irracional.

Meu coração dispara quando alcanço o topo da escada. Um trem está passando, e sua lateral prateada reflete a luz da lua. Caminho sob os trilhos e sigo até o setor da Abnegação.

+ + +

Tris era da Abnegação. Parte da sua força natural vem de lá, a mesma que surge sempre que precisa defender pessoas mais fracas do que ela. E não consigo suportar a ideia de homens e mulheres iguais a ela sucumbindo às armas da Audácia e da Erudição. Eles podem ter mentido para mim, e talvez eu os tenha traído quando escolhi a Audácia, e talvez esteja traindo a Audácia agora, mas não preciso trair a mim mesmo. Além disso, não importa em qual facção esteja, *eu* sei qual é a coisa certa a fazer.

O setor da Abnegação é muito limpo, sem qualquer lixo nas ruas, nas calçadas ou nos gramados. As construções cinza idênticas estão gastas em alguns lugares porque os seus membros altruístas se recusaram a consertá-los, já que o setor dos sem-facção precisa tanto de materiais, mas estão sempre bem-cuidadas. As ruas aqui parecem um labirinto, mas não passei tanto tempo assim longe, e ainda recordo-me do caminho até a casa de Marcus.

É estranho o quão rápido, na minha mente, ela se tornou a casa *dele*, e não a minha.

Talvez eu não tenha que contar a ele; poderia falar com outro líder da Abnegação, mas ele é o mais influente, e ainda há uma parte dele que é o meu pai, que tentou me proteger porque sou Divergente. Tento me lembrar da onda de poder que senti na paisagem do medo, quando Tris me mostrou que ele era apenas um homem, e não um monstro, e que eu poderia enfrentá-lo. Mas ela não está aqui comigo agora, e sinto-me frágil, como se fosse feito de papel.

Sigo o caminho até a casa com as pernas rígidas, como se não tivessem juntas. Não bato à porta; não quero acordar mais ninguém. Pego a chave sobressalente sob o capacho e destranco a porta da frente.

Está tarde, mas a luz da cozinha continua acesa. Quando passo pela porta, ele já está parado onde consigo vê-lo. Atrás dele, a mesa da cozinha está coberta de papéis. Ele está descalço. Seus sapatos ficaram sobre o tapete da sala de estar, com os cadarços desamarrados. E os seus olhos são tão envoltos em sombras quanto a imagem que faço deles nos meus pesadelos.

— O que você está fazendo aqui? — Ele me olha da cabeça aos pés. Tento entender o que ele tanto observa até me lembrar de que estou vestindo o preto da Audácia, com botas pesadas e jaqueta, e agora tenho uma tatuagem no pescoço. Ele se aproxima um pouco mais, e percebo que sou tão alto quanto ele, e mais forte do que jamais fui.

Ele nunca conseguiria me subjugar agora.

— Você não é mais bem-vindo nesta casa — diz ele.

— Eu... — Ajeito o corpo, mas não porque ele odeia má postura. — Eu não dou a mínima — digo, e suas sobrancelhas saltam para cima, como se eu o tivesse surpreendido.

Talvez eu realmente o tenha surpreendido.

— Vim alertar você — digo. — Encontrei algo. Planos para um ataque. Max e Jeanine vão atacar a Abnegação. Não sei quando, nem como.

Ele me encara por um segundo, de uma maneira que faz com que eu me sinta analisado, e então sua expressão muda para um sorriso debochado.

— Max e Jeanine vão atacar — repete ele. — Só os dois, sozinhos, armados com algumas seringas de simulação? — Seus olhos se semicerram. — Max o mandou aqui? Você virou o lacaio da Audácia dele? Por quê, ele quer me assustar?

Quando pensei em alertar a Abnegação, tinha certeza de que a parte mais difícil seria atravessar esta porta. Nunca pensei que ele não *acreditaria* em mim.

— Não seja idiota — digo. Nunca teria dito isso a ele quando morava nesta casa, mas, depois de dois anos adotando intencionalmente os maneirismos da Audácia, a frase deixa a minha boca com naturalidade. — Se você suspeita de Max, é por uma boa razão, e posso garantir que é uma razão muito boa. Você está certo em suspeitar dele. Você corre perigo. Todos vocês correm.

— Como ousa entrar na minha casa, depois de trair a sua facção — diz ele com a voz grave —, trair a sua *família*... e me insultar? — Ele balança a cabeça. — Recuso-me a ser intimidado a fazer o que Max e Jeanine querem, ainda mais pelo meu próprio filho.

— Quer saber? — digo. — Esquece. Eu deveria ter procurado outra pessoa.

Viro-me para a porta, e ele diz:

— Não vire as costas para mim.

Ele agarra o meu braço com força. Eu o encaro, sentindo-me tonto por um instante, como se estivesse fora do meu próprio corpo, já me separando do momento, para conseguir sobreviver a ele.

Você consegue lutar contra ele, penso, e me lembro da Tris arrancando o cinto dele na minha paisagem do medo, para agredi-lo.

Eu me desvencilho de sua mão. Sou forte demais, e ele não consegue me segurar. Mas só tenho força o bastante para ir embora. Ele não ousa gritar e ir atrás de mim, porque os vizinhos poderiam ouvir. Minhas mãos tremem um pouco, então as enfio nos bolsos. Não ouço a porta da frente se fechar atrás de mim, então sei que ele está me observando ir embora.

Não foi o retorno triunfante que imaginei.

+ + +

Sinto-me culpado quando atravesso a porta de entrada da Pira, como se os olhos de todos os membros da Audácia me encarassem, julgando-me pelo que acabei de fazer. Fui contra os líderes da minha facção, e pelo quê? Por um homem que odeio, que nem acreditou em mim? Não sinto que valeu a pena, não valeu a pena ser chamado de traidor da facção.

Olho para o abismo abaixo, sob o chão de vidro, a água tranquila e escura, longe demais para refletir o luar. Havia algumas horas, eu estava bem ali, prestes a revelar a uma garota que mal conheço todos os segredos que lutei tanto para proteger.

Ela também confiou em mim, mesmo que Marcus não tenha confiado. Ainda vale a pena protegê-la, assim como a sua mãe e o resto da facção na qual ela acredita. Então, é o que farei.

LEIA AS CENAS EXCLUSIVAS DE

DIVERGENTE

CONTADAS DA PERSPECTIVA DE TOBIAS

"A PRIMEIRA A PULAR: TRIS!"

"CUIDADO, TRIS."

"VOCÊ ESTÁ BONITA, TRIS."

"A PRIMEIRA A PULAR: TRIS!"

CONFIRO O RELÓGIO. O primeiro iniciando deve saltar a qualquer momento.

A rede espera ao meu lado, larga, resistente e iluminada pelo sol. A última vez em que estive aqui foi no Dia da Escolha do ano passado, e, antes disso, no dia em que pulei. Não queria me lembrar da sensação de me aproximar lentamente da beirada do edifício, de como minha mente e meu corpo foram tomados pelo medo, e então a queda terrível, o sacudir involuntário de braços e pernas, o estalar das fibras da rede contra meus braços e meu pescoço.

— Como foi o trote? — pergunta Lauren.

Demoro um segundo para perceber do que ela está falando: do programa, e da minha suposta vontade de pregar uma peça em Zeke.

— Ainda não fiz. Nossos horários de trabalho não estão batendo hoje.

— Sabe, se você estivesse disposto a estudar bastante, poderíamos usar alguém como você nos serviços de informática — diz ela.

— Se estão recrutando, você deveria falar com Zeke. Ele é muito melhor do que eu.

— É, mas Zeke não sabe a hora de calar a boca. Recrutamos mais por compatibilidade do que por capacidade. Passamos muito tempo juntos.

Abro um sorriso. Zeke realmente gosta de tagarelar, mas isso nunca me incomodou. Às vezes, é bom não precisar se preocupar em começar as conversas.

Lauren brinca com uma das argolas em sua sobrancelha enquanto esperamos. Tento esticar o pescoço para enxergar o topo do edifício, mas tudo o que consigo ver é o céu.

— Aposto que será um dos nascidos na Audácia — afirma ela.

— É sempre um nascido na Audácia. Nem vale a pena apostar.

Os nascidos na Audácia têm uma vantagem injusta sobre os transferidos. Eles geralmente sabem o que há no fundo do buraco antes de saltar, embora tentemos esconder isso deles o máximo possível. Esta entrada para a sede só é usada no Dia da Escolha, mas os integrantes da Audácia são curiosos e exploram o complexo quando acham que ninguém está vendo. Além disso, eles crescem cultivando o desejo de realizar atos audaciosos, de tomar atitudes, de se comprometer de corpo e alma com tudo o que decidam fazer. Seria muito estranho um transferido fazer isso sem ter aprendido com alguém.

De repente, eu a vejo.

Não um rastro preto, como eu esperava, mas cinza, tombando em direção à rede. Ouço o estalar da rede esticando ao redor dos suportes de metal, se deformando para aninhá-la. Por um instante, encaro, impressionado, as roupas familiares que ela veste. Depois, estendo a mão para ela.

Ela agarra os meus dedos, e eu a puxo. Enquanto ela rola para fora da rede, agarro seus braços para equilibrá-la. Ela é pequena e magra, sua aparência é frágil, como se o impacto com a rede pudesse despedaçá-la. Seus olhos são grandes e azul-claros.

— Obrigada — agradece ela. Pode até parecer frágil, mas sua voz é firme.

— Não acredito — diz Lauren com mais arrogância da Audácia do que o normal. — Uma Careta, a primeira a pular? Isso é inédito.

Ela tem razão. É de fato uma ocorrência inédita. É raro, inclusive, um Careta se juntar à Audácia. Ano passado, não tivemos nenhum transferido da Abnegação. E, antes disso, durante muito tempo, fui o único.

— Existe uma razão para ela tê-los deixado, Lauren — digo, sentindo-me distante do meu próprio corpo por um segundo. Recomponho-me e pergunto para a inicianda: — Qual é o seu nome?

— É... — Ela hesita, e, por um breve e estranho momento, sinto que a conheço. Não dos meus anos na Abnegação ou da escola, mas de um modo mais profundo, de alguma forma. Seus olhos e sua boca procuram um nome, insatisfeita com o que ela encontra, assim como eu fiquei. Meu instrutor da iniciação me ofereceu uma maneira de escapar da minha antiga identidade. Também posso oferecer uma a ela.

— Pode pensar — digo, esboçando um sorriso. — Esta é sua única chance de escolher um.

— Tris — diz ela, como se já tivesse certeza.

— Tris — repete Lauren. — Faça o anúncio, Quatro.

Esta transferida da Abnegação, afinal, é minha inicianda. Olho para trás, para a multidão de membros da Audácia que se reuniu para assistir aos saltos dos iniciandos, e anuncio:

— A primeira a pular: Tris!

Assim, eles se lembrarão dela não pelas roupas cinza que está vestindo, mas pelo seu primeiro ato de coragem. Ou de loucura. Às vezes, as duas coisas se confundem.

Todos comemoram, e, enquanto o som preenche a caverna, outro iniciando desaba na rede, soltando um grito de gelar o sangue. Uma garota vestindo as roupas brancas e pretas da Franqueza. Desta vez, Lauren é quem estende a mão para ajudá-la. Apoio as costas de Tris, para guiá-la até a escada, caso ela não esteja tão estável quanto parece. Antes que ela dê o primeiro passo, digo:

— Seja bem-vinda à Audácia.

"Cuidado, Tris."

Uma da Abnegação, cinco da Franqueza e dois da Erudição. Esses são meus iniciandos.

Disseram-me que a Franqueza e a Audácia contam com um grau de transferência mútua bastante alto. Geralmente, perdemos a mesma quantidade de membros para eles quanto eles para nós. Considero que minha tarefa seja fazer esses oito iniciandos passarem pelo menos do primeiro corte. No ano passado, quando Eric e Max insistiram nesse sistema, lutei contra eles o máximo que ousei. Mas parece que o sistema de cortes chegou para ficar, apenas beneficiando a Audácia que Max e Eric querem criar — uma facção de brutamontes desmiolados.

Mas pretendo deixar a Audácia assim que descobrir o que Max e Jeanine estão tramando, e, se isso acontecer no meio da iniciação, melhor ainda.

Quando todos os nascidos na Audácia se juntam a nós, entre eles Uriah, Lynn e Marlene, começo a descer o túnel, sinalizando com a mão para que eles me sigam. Atravessamos o corredor escuro até a entrada do Fosso.

— É aqui que nos separamos — diz Lauren, ao alcançar a porta. — Os iniciandos nascidos na Audácia vêm comigo. Acho que *vocês* não precisam de um tour do local.

Ela sorri, e os iniciandos nascidos na Audácia a seguem pelo corredor que passa ao largo do Fosso, levando-os diretamente para o refeitório. Assisto-os indo embora e, depois que desaparecem, ajeito a postura. Ano passado, aprendi que, se quiser que me respeitem desde o início, preciso ser duro com eles de cara. Não tenho o charme natural de Amah, que conseguia ganhar a lealdade das pessoas só com um sorriso ou uma piada; então preciso compensar de outras maneiras.

— Eu geralmente trabalho na sala de controle, mas durante as próximas semanas serei seu instrutor — digo. — Meu nome é Quatro.

Uma das garotas da Franqueza, que é alta, morena e tem uma voz enérgica, resolve abrir a boca:

— Quatro? Como o número?

Percebo o início de um motim. Pessoas que não sabem o significado do meu nome gostam de rir dele, e não gosto que riam de mim, especialmente um grupo de iniciandos recém-saídos da Escolha que não têm a menor ideia de onde estão se metendo.

— Sim — respondo, irritado. — Você tem algum problema com isso?

— Não — diz a garota.

— Ótimo. Nós estamos prestes a entrar no Fosso, que vocês um dia aprenderão a amar. Ele...

A garota da Franqueza me interrompe outra vez.

— Fosso? Que ótimo nome.

Sinto a irritação crescer dentro de mim e me aproximo dela sem realmente ter tomado a decisão de fazer isso. Não posso permitir que alguém faça piadinhas sobre tudo o que digo, ainda mais no começo da iniciação, quando as atitudes de todos ainda estão muito maleáveis. Preciso mostrar a todos eles que não sou alguém com quem podem se meter, e preciso fazer isso agora.

Inclino-me para perto do rosto dela e a encaro por alguns segundos, até ver seu sorriso esmorecer.

— Qual é o seu nome? — pergunto, mantendo a voz baixa.

— Christina — responde ela.

— Bem, Christina, se eu quisesse aguentar os espertinhos da Franqueza, teria me juntado à sua facção — digo. — A primeira lição que você aprenderá de mim é como manter sua boca calada. Entendeu bem?

Ela faz que sim com a cabeça. Viro-me, com o coração fazendo meus ouvidos latejarem. Acho que isso foi o bastante, mas não posso ter certeza, não até a iniciação realmente começar. Empurro a porta dupla que leva ao Fosso e, por um instante, vejo o local como se fosse a primeira vez, o espaço imenso, cheio de vida e energia, a ferocidade da água no abismo chocando-se contra as rochas, o eco de conversas por toda parte. Geralmente evito o Fosso, porque é movimentado demais, mas hoje, amo este lugar. Não consigo evitar.

— Sigam-me — digo —, e lhes mostrarei o abismo.

+ + +

A transferida da Abnegação sentou-se à minha mesa. Por um instante, pergunto-me se ela sabe quem eu sou, ou se, de alguma forma, é atraída a mim por uma força invisível dos Caretas que não consigo deixar de emanar. Mas ela não olha para mim como se me conhecesse. E não sabe o que é um hambúrguer.

— Você nunca comeu hambúrguer? — pergunta Christina. Ela está estupefata. As pessoas da Franqueza são assim. Ficam pasmas com o fato de que nem todos vivem da mesma maneira que elas. É um dos motivos por que não gosto delas. É como se o resto do mundo não existisse para elas. Para os integrantes da Abnegação, no entanto, o resto do mundo é tudo o que existe, e está cheio de necessidades.

— Não — diz Tris. Para alguém tão pequeno, sua voz é grave. Ela sempre soa séria, independentemente do que está dizendo. — É assim que se chama?

— Os Caretas comem comida simples — digo, experimentando usar a gíria. A palavra soa pouco natural quando aplicada a Tris; sinto que preciso oferecer a ela as cortesias que deveria a qualquer mulher da minha antiga facção, como desviar o olhar com deferência e conversar de maneira educada. Preciso me esforçar para lembrar que não estou mais na Abnegação. Nem ela.

— Por quê? — pergunta Christina.

— A extravagância é considerada autocomplacente e desnecessária. — Ela fala como se estivesse recitando isso de cor. Talvez esteja.

— Não me admira que você tenha partido.

— Claro. — Tris revira os olhos, o que me surpreende. — Foi só por causa da comida.

Tento não sorrir. Não sei se consigo.

De repente, Eric entra no refeitório, e todos ficam em silêncio.

A nomeação de Eric a líder da Audácia foi recebida com confusão e, em alguns casos, raiva. Nunca houve um líder tão jovem, e muitas pessoas se pronunciaram contra a decisão, preocupadas com sua idade e seu passado na Erudição. Max logo silenciou essas preocupações. Assim como Eric. Alguns protestavam um dia e, no dia seguinte, ficavam calados e assustados, como se ele os tivesse ameaçado. Se conheço Eric, foi exatamente o que ele fez, com palavras ditas com suavidade que se distorce e se transforma em malícia, esperto e calculista como sempre.

— Quem é esse? — pergunta Christina.

— Seu nome é Eric — respondo. — Ele é um de nossos líderes.

— Sério? Mas ele é tão jovem.

Contraio a mandíbula.

— A idade não importa aqui.

Conexões com Jeanine Matthews importam.

Ele se aproxima de nós e desaba no assento ao meu lado. Encaro a minha comida.

— E então, não vai me apresentar? — pergunta ele com suavidade. Como se fôssemos amigos.

— Essas são Tris e Christina. — digo.

— Olha só, uma Careta — diz Eric, e dá uma risada debochada. Por um instante, temo que ele conte para ela de onde *eu* vim, e agarro o joelho, segurando-me para não o agredir. Mas tudo o que ele diz é: — Vamos ver quanto tempo você vai durar.

Mesmo assim, quero socá-lo. Ou lembrá-lo de que o último transferido que tivemos da Abnegação, sentado bem ao seu lado, conseguiu arrancar um dos seus dentes, e, portanto, quem sabe o que esta próxima fará. Mas, com as novas práticas de treinamento, como lutar até os oponentes não conseguirem mais ficar de pé e cortes depois de apenas uma semana de treinamento, ele tem razão. Ela provavelmente não durará muito tempo, pequena do jeito que é. Não gosto disso, mas é a vida.

— O que você tem feito, Quatro? — pergunta Eric.

Sinto uma pontada de medo, temendo, por um instante, que ele saiba que estou espionando Max e ele. Dou de ombros.

— Nada de mais — respondo.

— Max me disse que está tentando falar com você há tempos, mas que você nunca aparece — diz Eric. — Ele pediu para eu descobrir o que está acontecendo.

É fácil ignorar as mensagens de Max como se fossem pedaços de lixo lançados contra mim pelo vento. As reações à sua nomeação a líder da Audácia podem não preocupar mais Eric, mas ainda preocupam Max, que nunca gostou do seu protegido tanto quanto deveria. Ele gostava de mim, embora eu não saiba bem por que, já que costumo me isolar enquanto os outros membros da Audácia andam em bandos.

— Diga a ele que estou satisfeito no cargo em que me encontro.

— Então, ele quer oferecer-lhe um emprego.

Eis a bisbilhotice desconfiada outra vez, escorrendo da sua boca como pus de um novo piercing.

— Parece que sim.

— E você não está interessado?

— Há dois anos que não estou interessado.

— Bem. Vamos esperar que ele se toque, então.

Ele bate no meu ombro como se quisesse ser casual, mas a força do golpe quase me joga contra a mesa. Eu o encaro enquanto ele vai embora. Não gosto de ser empurrado, muito menos por magricelas amantes da Erudição.

— Vocês dois são... amigos? — pergunta Tris.

— Fomos da mesma turma de iniciandos. — Decido realizar um ataque preventivo e jogá-las contra Eric, antes que ele as jogue contra mim. — Ele se transferiu da Erudição.

Christina ergue as sobrancelhas, mas Tris ignora a palavra "Erudição", ignora as suspeitas que deveriam estar programadas na sua mente depois de uma vida na Abnegação, e diz:

— Você também é um transferido?

— Pensei que teria problemas com a garota da Franqueza perguntando demais — digo. — Agora tenho uma Careta na minha cola também?

Como fiz com Christina antes, a intenção da minha rispidez é fechar as portas antes que elas se abram demais. Mas Tris contorce a boca, como se tivesse comido algo amargo, e dispara:

— Deve ser porque você é tão acolhedor. Sabe? Quase como uma cama de pregos.

Seu rosto fica vermelho quando a encaro, mas ela não desvia o olhar. Há algo familiar nela, mas tenho certeza de que lembraria se tivesse conhecido uma garota da Abnegação tão esperta, mesmo que apenas por um segundo.

— Cuidado, Tris — digo. Cuidado com o que você diz para mim, é o que quero dizer. Cuidado com o que você diz para qualquer pessoa desta facção, que valoriza todas as coisas erradas e que não entende que, quando você vem da Abnegação, impor-se, mesmo que brevemente, representa o máximo da coragem.

Ao falar seu nome, percebo que sei quem ela é. Ela é filha de Andrew Prior. Beatrice. Tris.

"Você está bonita, Tris."

Nem sei se lembro o que me fez rir, mas sei que foi algo que Zeke disse, e que foi hilário. À minha volta, o Fosso oscila, como se eu estivesse em pé sobre um balanço. Seguro a grade para tentar me equilibrar e derramo o resto do que quer que eu esteja bebendo garganta abaixo.

Ataque da Abnegação? Que ataque da Abnegação? Quase não me lembro mais disso.

Bem, na verdade, isso é mentira, mas nunca é tarde demais para começar a se sentir confortável em mentir para si mesmo.

Vejo uma cabeça loira subindo e descendo em meio à multidão e a sigo até ver o rosto de Tris. Ela finalmente não está vestindo tantas camadas de roupas, e a gola da camisa não está abotoada até logo abaixo da garganta. Consigo ver a forma do seu corpo... *Pare com isso*, grita uma voz na minha cabeça, antes que eu consiga prosseguir com esse pensamento.

— Tris! — A palavra escapa da minha boca, e não há como voltar atrás, apesar de eu nem me preocupar em tentar. Caminho na direção dela, ignorando os olhares de Will, Al e Christina. É fácil fazer isso. Seus olhos parecem mais claros e penetrantes do que nunca.

— Você está... diferente — digo. Queria dizer que ela parece mais velha, mas não quero sugerir que parecia jovem antes. Talvez ela não seja capaz de fazer tudo o que uma mulher mais velha faz, mas ninguém poderia olhar para o seu rosto e ver uma criança. Nenhuma criança tem essa ferocidade.

— Você também — diz ela. — O que está fazendo?

Bebendo, penso, mas ela provavelmente já notou isso.

— Desafiando a morte — respondo, soltando uma risada. — Bebendo ao lado do abismo. Não deve ser uma boa ideia.

— Realmente, não é. — Ela não está rindo. Parece preocupada. Preocupada com o quê? Comigo?

— Não sabia que você tinha uma tatuagem — digo, olhando para a sua clavícula, onde vejo três pássaros negros. É uma tatuagem simples, mas parece que os pássaros estão voando sobre a sua pele. — É claro. Os *corvos*.

Quero perguntar por que ela tatuou um dos seus piores medos no corpo, por que quer vestir a marca do seu medo para sempre em vez de enterrá-la, com vergonha. Talvez ela não sinta vergonha dos seus medos como eu sinto dos meus.

Olho para trás e vejo Zeke e Shauna, que estão em pé, com os ombros encostados, perto da grade.

— Eu a convidaria a se juntar a nós — digo —, mas não é certo você me ver assim.

— Assim como? — pergunta ela. — Bêbado?

— É... bem, não. — De repente, a situação não parece tão engraçada para mim. — Verdadeiro, eu acho.

— Vou fingir que não vi.

— É muito gentil da sua parte. — Aproximo-me dela mais do que pretendia, e sinto o cheiro do seu cabelo e a pele fria, lisa e delicada da sua bochecha contra a minha. Eu me sentiria envergonhado de estar agindo de maneira tão tola e direta se ela tivesse, mesmo que por um segundo, se afastado. Mas ela não faz isso. Na verdade, ela se aproxima ainda mais. — Você está bonita, Tris — digo, porque não sei se ela sabe disso, e ela deveria saber.

Desta vez, ela ri.

— Só me faça o favor de manter-se longe do abismo, está bem?

— É claro.

Ela sorri. E me pergunto, pela primeira vez, se ela gosta de mim. Se Tris consegue sorrir para mim quando estou neste estado... bem, talvez ela goste.

Só sei de uma coisa: por me ajudar a me esquecer do quão horrível é o mundo, prefiro ela ao álcool.

AGRADECIMENTOS

Obrigada, obrigada, obrigada a:

Meu marido, minha família (os Roth-Rydz-Ross, Fitch, Krauss, Paquette, Johnson e todos os outros entre eles) e meus amigos (escritores e não escritores, de todo o mundo), por seu constante apoio, generosidade e perdão, sem os quais eu certamente pereceria. É sério.

Joanna Volpe, amiga/agente, pela sua simpatia e sabedoria e Todas as Coisas (Boas). Katherine Tegen, amiga/editora, por todo tipo de sabedoria editorial e trabalho muito árduo. Toda a equipe da HarperCollins, por sua excelência constante: Joel Tippie, Amy Ryan, Barb Fitzsimmons, Brenna Franzitta, Josh Weiss, Mark Rifkin, Valerie Shea, Christine Cox, Joan Giurdanella, Lauren Flower, Alison Lisnow, Sandee Roston, Diane Naughton, Colleen O'Connell, Aubry Parks-Fried, Margot Wood, Patty Rosati, Molly Thomas, Onalee Smith, Andrea Pappenheimer, Kerry Sheridan, Fran Olson, Deb Murphy, Jessica Abel, Samantha Hagerbaumer,

Andrea Rosen, David Wolfson, Jean McGinley, Alpha Wong, Sheala Howley, Ruiko Tokunaga, Caitlin Garing, Beth Ives, Katie Bignell, Karen Dziekonski, Sean McManus, Randy Rosema, Pam Moore, Rosanne Romanello, Melinda Weigel, Gwen Morton, Lillian Sun, Rosanne Lauer, Erica Ferguson e, é claro, Kate Jackson, Susan Katz e Brian Murray. Vocês são a melhor editora do mundo.

Danielle Barthel, por sua mente paciente e pelo encorajamento especial em relação a estas histórias. Pouya Shahbazian, por me mostrar como permanecer estável, mesmo em meio à tempestade (estou me esforçando para aprender). Todos da New Leaf Literary, por se esforçarem tanto e fazerem o trabalho ser tão bom. Steve Younger, por ser tão competente tanto no humor quanto em questões legais.

E por último, mas certamente não menos importante: todos os leitores de Divergente (Iniciandos!) ao redor do mundo. Seu entusiasmo por essas personagens me incentivou a escrever estas histórias e me ajudou a atravessar as partes difíceis.

Acho que só faz sentido terminar com um

<4

Impressão e Acabamento:
EDITORA JPA LTDA.